D0227463

folio
junior

Jean-Philippe Arrou-Vignod

L'omelette au sucre

Illustrations de Dominique Corbasson

GALLIMARD JEUNESSE

Pour J.-P., J.-F., J.-N., J.-B. et J.-C.,
en souvenir de cette année 1967-1968 à Cherbourg

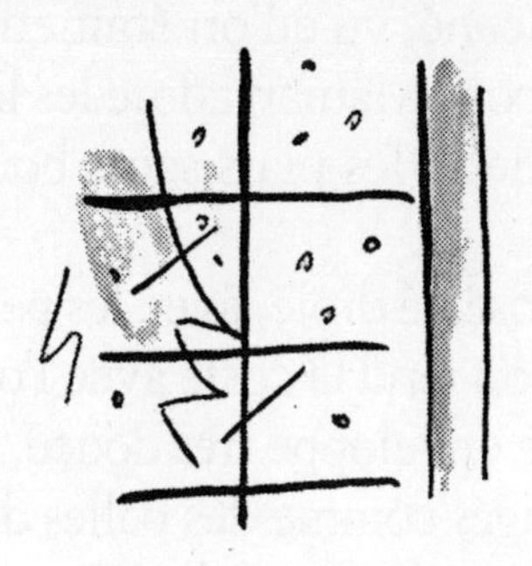

Les Jean

– Les garçons, a dit maman, j'ai une grande nouvelle à vous annoncer.

C'était un soir de 1967, un peu avant Noël. Papa n'était pas rentré, on était tous dans la cuisine à préparer le dîner.

D'habitude, j'aime bien ce moment-là : ça sent bon, il fait chaud, il y a de la buée sur la vitre et on peut parler avec maman tout en lui donnant un coup de main.

Mais, cette fois-ci, les petits avaient envahi la cuisine, tout le monde se chamaillait et je sentais maman qui devenait nerveuse, je ne sais pas pourquoi.

– Une grande nouvelle ? a répété Jean-A. Chouette, tu vas nous faire des frites !

Jean-C. a ricané, vu qu'on était en train d'écosser des petits pois. Maman adore les légumes verts, l'herbe bouillie et les plats sains bourrés de vitamines.

La seule chose de drôle, avec les petits pois, c'est de les ouvrir : on fend la cosse avec l'ongle, à l'intérieur il y a une enveloppe très douce, les pois ronds et luisants rangés comme des balles de revolver.

Jean-D. en a profité pour s'en glisser deux ou trois dans le nez, il a fallu le secouer par les pieds pour les faire sortir, alors maman s'est un peu énervée :

– Ça va barder, elle a dit. Pour une fois que je vous demande de m'aider.

Puis Jean-E. a renversé le plat, on s'est tous mis à quatre pattes sur le carrelage pour rattraper les petits pois qui roulaient. On aurait dit une gigantesque partie de billes, on rigolait comme des bossus, puis la première gifle est partie et ça n'a plus été drôle du tout.

– D'accord, a dit maman. Puisque c'est comme ça, tous au salon et que ça saute.

C'est chaque fois la même chose quand tout le monde veut l'aider. Maman se met en colère pour rien, elle n'a jamais vu des enfants comme nous, on dirait qu'on le fait exprès pour la contrarier.

– Tant pis, elle a dit. Puisque c'est comme ça, vous ne connaîtrez pas la grande nouvelle.

– On va changer de voiture ? a demandé Jean-C.

– Mieux que ça, a dit maman.

– On va acheter la télé ? a demandé Jean-A.

– Mieux encore. Est-ce que personne ne devine ?

On s'est regardés sans répondre. Qu'est-ce qu'il pouvait y avoir de mieux que la télé ?

Jean-A., qui a le sens de l'organisation, avait fait passer le mot quelques jours plus tôt : il réglerait son compte au premier qui demanderait autre chose qu'une télé pour Noël. Pas de train électrique, de panoplie ou de carabine à flèches. Fini les cadeaux bêtes et les sucreries. Si on s'y mettait tous, il a dit, papa et maman finiraient bien par plier.

Il avait même tenu la main des petits qui ne savaient pas écrire :

Cher Papa Noël, j'ai été bien sage toute l'année. Comme cadeau, je veux rien qu'une télé si te plaît.

Signé : Jean-D.

P.-S. : Y a pas de cheminée, mais ça passe facilement par la fenêtre du salon.

- Et mon épée de Zorro, je pourrai l'avoir quand même ? avait protesté Jean-C.

– Rien du tout, a dit Jean-A. Une télé ou la mort.

Il faut dire que Jean-A. est l'aîné. Ce n'est pas parce qu'il a des lunettes, mais parfois il se prend pour le chef. Une sorte de Joe Dalton, surtout quand on est tous les cinq dans nos pyjamas à rayures comme ce soir-là, en arc de cercle sur le tapis du salon, les poches bourrées de petits pois pour nourrir la tortue et le cochon d'Inde.

Jean-A., Jean-B., Jean-C., Jean-D., Jean-E., c'est une idée de mon père.

Papa n'a jamais eu de mémoire. Un jour, il a dû appeler les renseignements parce qu'il avait oublié notre numéro de téléphone. Alors, quand on est nés, il a trouvé ça plus commode : on s'appellerait tous Jean-quelque chose, à cause de papy Jean. Pour le deuxième prénom, il a suivi l'ordre alphabétique. Un moyen mnémotechnique, il explique souvent, tout fier de lui, mais moi j'ai pensé : « Heureusement qu'on n'est que cinq ! » Vous imaginez un Jean-Walter, un Jean-Zothime ou un Jean-Xénophon ?

Cinq garçons, ce n'est déjà pas courant. Mais classés par ordre alphabétique, comme dans les pages d'un dictionnaire ?

Impossible d'éviter les blagues, les surnoms, les jeux de mots faciles. J'avais fait ma propre liste, Le Dico des Jean, dans un cahier de brouillon Clairefontaine.

• Jean-A. : dix ans, surnommé Jean-Ai-Marre à cause de son fichu caractère. Veut toujours être le chef.

• Jean-B. : huit ans. C'est moi. Nom de code : Jean-Bon, parce que j'adore manger et que je suis un peu enrobé au niveau des cuisses.

• Jean-C. : alias Jean-C-Rien, six ans, le distrait de la famille.

• Jean-D. : quatre ans, aussi appelé Jean-Dégâts. Allez savoir pourquoi.

• Jean-E. : deux ans, le petit dernier. Pas de surnom encore, il est trop petit, sauf Jean-É-plein les couches, proposé par Jean-A.

Dans les rues de Cherbourg, quand on se promène tous ensemble, les gens nous regardent d'une drôle de façon. Cinq frères en rang d'oignons, avec la même bouille ronde, les mêmes oreilles décollées. Une famille ? Non. Plutôt une attraction. On a l'impression d'être une troupe de cirque, une équipe de nains acrobates, par exemple, qui vont sauter à travers des cerceaux ou faire une pyramide humaine.

Ce soir, représentation exceptionnelle ! Venez applaudir les Jean dans leur ébouriffant numéro d'équilibriste !

Maman, qui est très organisée, nous a divisés en trois : il y a les grands (Jean-A. et moi), les moyens (Jean-C., Jean-D.) et le petit dernier, Jean-E., le seul qui a une chambre à lui.

Moi, je partage celle de Jean-A. On a des lits superposés, des tours de semaine pour mettre la table ou pour essuyer la vaisselle, et c'est toujours nous qu'on gronde à la moindre bêtise parce qu'on est les plus grands et qu'il faut montrer l'exemple.

Quelquefois, j'aimerais m'appeler Jean-Tout seul. Être fils unique. Un nombre entier, pas une fraction. Pouvoir dormir dans le lit du haut si j'en ai envie au lieu de le laisser à Jean-A., sous prétexte qu'il est l'aîné et qu'il veut toujours commander.

Mais voilà : qui peut choisir sa famille ?

– Jean-D., a dit maman, ôte-moi ce doigt de ton nez et écoutez tous. J'ai une grande nouvelle à vous annoncer.

Elle a mis une musique de Noël sur l'électrophone, s'est assise sur une chaise en face de nous et on a senti que l'instant était grave.

Jean-C. a arrêté de se trémousser à cause des épines du sapin qui lui rentraient dans les fesses. La guirlande électrique clignotait, des rafales de pluie fouettaient les vitres. Cette fois encore, ce serait raté pour la neige à Noël, mais on était bien tout à coup, avec le poêle à hublot qui ronflait sourdement, l'odeur de résine du sapin et l'arbre immense au-dessus de nos têtes.

J'adore les jours avant Noël. Le salon est orné de guirlandes et d'angelots en papier doré, le soir, après le dîner, on ouvre chacun à notre tour une petite fenêtre sur le calendrier de l'Avent. Devant la crèche, il y a cinq petits moutons de plâtre. Un pour chacun. Et si on a été sage dans la journée, on a le droit de l'avancer un peu.

Le problème, c'est Jean-A. : il veut toujours que son mouton soit le premier, alors tout le monde triche et pousse le sien en cachette comme pour gagner une victoire d'étape. Il faut les remettre chaque soir sur la ligne de départ, on a l'impression que Noël n'arrivera jamais.

– Alors, a commencé maman, qui veut connaître la grande nouvelle ?

Jean-C. et Jean-D. ont levé la main en criant : « Moi ! Moi ! »

Jean-E. a cru qu'on voulait faire quelque chose sans lui, il s'est mis à crier lui aussi : « Moi d'abord ! Moi d'abord ! » On ne s'entendait plus, tout le monde braillait à qui mieux mieux pour être le premier à apprendre la grande nouvelle.

– Silence ! s'est emportée maman, soudain très blanche. Comment voulez-vous entendre quoi que ce soit si vous…

Elle s'est arrêtée tout net, a porté les mains à son ventre en faisant une grimace. Ça nous a coupé le sifflet d'un seul coup.

– Maman ? Maman ?

En une seconde nous étions autour d'elle. Jean-C. lui tapotait la main, je lui faisais de l'air avec le calendrier de l'Avent tandis que Jean-A. filait à la cuisine lui rapporter un verre d'eau.

– Écartez-vous, il a crié. Vous ne voyez pas que vous allez l'étouffer ?

– Ce n'est rien, a dit maman en rouvrant les yeux. Une bouffée de chaleur. Ne vous inquiétez pas.

Maman est très organisée. Elle s'arrange pour n'être jamais malade. Alors, forcément, la voir comme ça nous a fichu une peur bleue. On l'entourait tous sans un mot, la regardant reprendre doucement des couleurs.

– Ça va mieux, je vous assure. Ne vous inquiétez pas, elle a répété.

Jean-D. lui a tendu une poignée de réglisses gluants qu'il avait tirés de sa poche. Visiblement, elle allait mieux, elle les a repoussés gentiment, alors il se les est fourrés dans la bouche comme s'il avait eu lui aussi besoin d'un petit remontant.

– Tu es chûre que tu n'es pas malade ? il a demandé.

– Sûre, elle a dit en touchant son ventre. Au contraire : c'est ça la grande nouvelle…

On s'est tous regardés en ouvrant de grands yeux. Est-ce qu'elle voulait dire…

– J'aurais aimé que votre père soit là pour vous l'annoncer, mais il rentrera tard, a continué maman. Alors voilà : j'attends un nouveau bébé.

Elle aurait tiré au canon au milieu du salon qu'elle n'aurait pas fait plus d'effet. Les dents noires de réglisse, Jean-D. restait bouche ouverte, un filet de salive coulant sur le menton. Jean-C. s'était mis à compter sur ses doigts, recommençant plusieurs fois avant de regarder, incrédule, le pouce de sa main droite.

– Un nouveau bébé ? Tu veux dire qu'on va être…

– Six ! l'a devancé Jean-D. qui est très fort en calcul mental. C'est moi qui ai trouvé le premier !

– Six ! a répété Jean-A. avec accablement.

– C'est un joli chiffre, non ? s'est extasiée maman. Tout rond, tout ventru, avec une petite queue comme une cerise… J'ai toujours adoré les chiffres pairs. Est-ce que ce n'est pas une merveilleuse nouvelle ?

On était trop abasourdis pour répondre.

Imaginez qu'on apprenne à des naufragés entassés dans une barque trop petite qu'ils vont devoir se serrer un peu plus pour accueillir un nouveau passager…

Soudain, les questions ont fusé dans tous les sens. Un vrai feu d'artifice ! À chacune maman répondait avec un grand sourire, si heureuse qu'on s'en serait voulu de la décevoir.

– Un bébé pour Noël ? Mais comment on va faire pour le mettre dans la crèche ?

– Est-ce qu'il aura lui aussi des lunettes comme Jean-A. ?

– Est-ce que je pourrai le tenir dans mes bras moi aussi ?

– Est-ce qu'il faudra que je lui prête mes billes ?

– Attendez, a dit Jean-A. brusquement. Vous oubliez le plus important.

On s'est tous tournés vers lui.

– Et si c'était une fille ? il a dit, remontant ses lunettes sur son nez avec son air de monsieur-je-sais-tout.

– Impossible, a dit Jean-C.

– Et pourquoi, banane ? Les filles sont plus nombreuses que les garçons, je t'apprendrai.

– Oui, une fille, une fille ! a crié Jean-E.

– Un garçon, un garçon ! a crié Jean-D.

– Il n'y a qu'à voter, a proposé Jean-C.

Maman a levé la main pour ramener le calme.

– Ce ne sont pas des choses qui se décident, elle a dit. Fille ou garçon, nous le saurons au printemps, pas avant. Jusque-là, mystère et boule de gomme !

– Comment on va l'appeler, alors ? a demandé Jean-C., toujours pratique.

– Il n'y a qu'à trouver un prénom qui marche pour les deux, j'ai proposé. Dominique…

– … ou Camille.

– … ou Daniel…

– Ça s'écrit pas pareil pour les filles, banane ! a rigolé Jean-A.

– Si on prenait un calendrier ? a proposé Jean-C.

– Non, a dit maman. Si c'est une fille, on l'appellera Hélène.

– Hélène ? on a tous crié. Encore ?

Hélène, c'est le prénom que j'aurais porté si j'avais été une fille. Et Jean-A. pareil. Et Jean-C., et Jean-D., et Jean-E... Mes parents, qui n'ont pas beaucoup d'imagination, n'ont trouvé que ce prénom-là.

Quelquefois, j'essaye de me représenter ce qu'aurait été notre famille si on avait tous été des filles. Cinq Hélène ! Une avec des lunettes, la seconde un peu enrobée comme moi, etc. C'est papa, pour le coup, qui se serait mélangé les pinceaux.

– Hélène ! Laisse Hélène tranquille. Est-ce que tu ne vois pas qu'Hélène dort ?

Il aurait sans doute trouvé un truc : Hélène I, Hélène II, Hélène III, IV, V, une sorte de classement comme pour les papes ou les rois de France.

– Ça sera sûrement une fille, a décrété Jean-A. C'est statistique. Et puis les filles s'arrangent toujours pour être les chouchoutes...

– Jean-A. ! a dit maman. Ne commence pas à dire du mal de ta sœur !

– C'est aussi ma sœur à moi ! s'est écrié Jean-D.

– Non, c'est la mienne ! a trépigné Jean-E.

Ce soir-là, quand on a avancé nos moutons vers la crèche, je n'ai pas pu m'empêcher de penser au sixième santon qu'il y aurait l'année suivante : un minuscule mouton de plâtre qui, lui aussi, commencerait sa course dès le début de décembre et la terminerait, serré contre les autres dans la nuit de Noël, entre le bœuf et l'âne.

Le mouton d'Hélène Ire, reine des Jean. Ma sœur unique. Enfin, notre sœur unique. Celle qu'il faudrait se partager à cinq.

À mon avis, les ennuis ne faisaient que commencer.

Noël au Mont-d'Or

Aux vacances de Noël, on est partis à la montagne.

– Votre mère a besoin de changer d'air, a dit papa. Pour le bébé. Il lui faut de l'oxygène. Rien de mieux que l'altitude. Le froid sec et vivifiant des cimes. Ça fera un bien fou à tout le monde.

Il faut dire que papa est médecin. Nous, le froid sec et vivifiant des cimes, ça ne nous disait pas grand-chose, surtout quand papa a ajouté :

– Je vous préviens, les gars : ce sera le cadeau de toute la famille. Le Père Noël, cette année, nous emmène à la montagne. Je ne sais pas si vous avez une idée de ce que ça coûte à sept. Alors, haut les cœurs, et ayez l'air contents, sinon ça va barder pour vos matricules !

Celui qui a fait le plus la tête, c'est Jean-A. Cette fois, c'était bien fichu pour la télé.

– Est-ce que je pourrai faire de la luge ? a demandé Jean-D. en poussant un cri de joie.

C'était bien le seul qui avait l'air content.

– Espèce de luge toi-même, a rétorqué Jean-A. S'il n'y a pas la télé à l'hôtel, je vais faire un malheur.

Moi, j'ai une liste spéciale pour Noël. Une sorte de liste à l'envers. Ça s'appelle : *Cadeaux à éviter*.

Je la mets à jour chaque année.

J'y écris les choses que je ne veux absolument pas avoir, comme les cravates que nous offre grand-maman, par exemple la mère de papa, et que maman nous oblige à mettre quand on va déjeuner chez elle.

Cadeaux à éviter :

• *Les jeux éducatifs auxquels Jean-A. gagne toujours parce qu'il triche.*

• *Les encyclopédies reliées en douze volumes de tante Lucie.*

• *La mallette du petit chimiste. François Archampaut l'a eue, elle est nulle.*

• *Un abonnement au journal religieux de la paroisse (grand-maman).*

Le pire, avec ces cadeaux-là, c'est qu'ils ne vous font pas plaisir et qu'on est quand même obligé de prendre l'air ravi et de dire merci.

J'ai ajouté sur ma liste :

• *Le froid sec et vivifiant des cimes.*

C'était la première fois qu'on allait tous ensemble à la montagne, alors il a fallu emprunter aux cousins Fougasse des vêtements pour la neige. À sept, ça fait tellement de bagages que maman, qui est très organisée, a été de mauvaise humeur pendant huit jours.

Sur le quai de la gare, on s'est retrouvés en anoraks et bonnets de ski tricotés à la main pendant que papa recomptait les valises. Il était un peu rouge lui aussi. Pas question que maman porte quoi que ce soit dans son état. Papa est très fort, mais quatre valises et deux sacs à dos c'est beaucoup, et sous le bonnet à oreillettes que lui avait prêté l'oncle Fougasse, je sentais qu'il perdait son enthousiasme.

Ce qui est bien, à sept, c'est qu'on peut louer un compartiment entier. On s'est battus pour avoir les couchettes du haut, alors papa s'est énervé et les premières gifles ont commencé à voler.

– Descends sur le quai avec les grands, a dit maman. Je m'occupe de l'installation.

La nuit était tombée. On a fait les cent pas avec

lui jusqu'à ce qu'il soit calmé, puis il nous a montré la loco pendant que les petits écrasaient leur nez sur la vitre en nous faisant des grimaces.

– C'est quoi, papa, cette espèce d'antenne repliée sur le toit de la locomotive ? j'ai demandé.

Papa a pris l'air savant :

– C'est une caténaire, mon fils. En fait, ça sert à... C'est un machin pour... Une sorte de...

On l'a laissé se débattre un moment, puis on s'est précipités dans le train parce que le contrôleur sifflait en agitant un drapeau.

C'est quand le train a démarré que maman a demandé :

– Et Jean-C. ? Où est-il ?

– Jean-C. ? a répété papa. Mais je croyais qu'il était avec toi !

– Mais non ! Je croyais qu'il était avec toi !

Papa s'est rué hors du compartiment.

Dans le couloir, personne.

C'est alors qu'on l'a aperçu. Il était sur le quai, en pyjama, le pouce dans la bouche, nous regardant nous agiter derrière la vitre comme si on avait été des poissons exotiques dans un aquarium.

Par chance, le train n'avait pas encore pris de la vitesse. Papa a sprinté dans le couloir, bousculant les voyageurs et criant : « Pardon, pardon ! » Il a ouvert la portière de la voiture d'un coup d'épaule s'est penché sur le marchepied...

Juste à temps. Suspendu à la poignée, il a crocheté Jean-C. par le fond de sa culotte de pyjama à l'instant où il passait à sa hauteur et l'a hissé dans la voiture d'un seul bras, aussi facilement que si Jean-C. avait été un jouet en peluche.

Papa est très fort.

Éberlué, Jean-C. avait l'air de ne rien comprendre à ce qui lui arrivait. Mais à voir la tête de papa, inutile d'être devin pour se douter qu'il allait passer un mauvais quart d'heure.

– Espèce de... de... s'est étranglé papa en le soulevant par le col.

Ce qui a sauvé Jean-C., ce sont les passagers de la voiture. Sortis de leur compartiment, ils se sont mis à applaudir l'exploit de papa. Il a remonté le couloir, très digne, poussant Jean-C. devant lui et secouant la tête en murmurant de petits « merci, merci » à peine audibles.

« Les fabuleux Jean dans leur célèbre numéro d'acrobatie aérienne, j'ai pensé. Une figure de difficulté mondiale ! »

Papa a claqué derrière nous la porte du compartiment.

– Cette fois, les gars, il a dit, ça va barder...

C'est l'instant qu'a choisi le contrôleur pour venir vérifier nos billets. Papa est devenu blême en découvrant qu'il avait oublié sa carte de réduction Famille Nombreuse, il a fallu parlementer un long moment et, quand on s'est enfin couchés, l'ambiance était vraiment retombée.

Pelotonné sur la couchette du milieu, je regardais les lumières glisser au plafond. Les rails faisaient tom-tom togodom, on aurait dit qu'on était dans une petite maison douillette qui filait dans la nuit, c'était magique.

– Tu dors ? a chuchoté Jean-A.

Je n'ai pas répondu. J'aurais bien allumé ma lampe de couchette pour lire mon Club des Cinq, mais ça n'était pas le moment.

Soudain, devant mon visage, quelque chose est apparu : une sorte d'énorme chauve-souris, suspendue la tête en bas, qui me regardait en grimaçant.

– Alors, tu dors, oui ou non ? a répété Jean-A. en tordant sa bouche avec ses doigts.

– Silence ! a rugi papa dans l'ombre. Le premier qui bronche, je le… je…

Jean-A. a réintégré prestement sa couchette et, bientôt, il n'y a plus eu que le lent tom-tom togodom du train qui filait à travers la nuit.

– Respirez ! a dit papa en gonflant la poitrine. Respirez l'air sec et vivifiant des cimes !

C'était le matin, on était tous à grelotter devant la petite gare du Mont-d'Or, l'estomac vide, pendant que papa recomptait une nouvelle fois les bagages. La neige était sale, une bouillasse pleine de traces de pneus.

En fait d'air sec et vivifiant, le petit bus de l'hôtel lâchait de gros prouts de gasoil.

– Je crois que je vais vomir, a murmuré Jean-A. en devenant vert comme un extraterrestre.

– Vous allez voir, a dit papa avec entrain. Rien de tel que l'altitude pour se forger une santé de fer !

L'Hôtel du Mont d'Or était une sorte de gros chalet, avec des toits pointus et des balcons en bois sculpté. On s'est installés dans deux chambres

communicantes : une à quatre lits pour nous, une autre pour papa, maman et Jean-E., qui donnait sur un grand champ de neige immaculée.

– Allez, les garçons ! a décidé papa pendant que maman défaisait les valises. Concours de bonhomme de neige ! Tous en bas dans deux minutes...

Papa a été moniteur de colonies de vacances dans sa jeunesse. Il adore nous appeler « les garçons », organiser des activités et faire marcher tout le monde au sifflet.

On a dévalé les marches en hurlant.

– Couvrez-vous ! a crié maman. Il fait un froid glacial !

On s'est dispersés dans le champ, en s'enfonçant dans la neige qui nous montait jusqu'aux chevilles.

Papa s'amusait comme un petit fou. C'est lui qui a commencé à lancer la première boule. Bientôt, ça a été une bataille générale. Jean-A. et moi contre les autres. Les moufles pourries des cousins Fougasse prenaient l'eau, on avait les doigts gelés, la neige nous coulait dans le cou, mais c'était vraiment une super bataille.

Puis Jean-D. s'est mis à pleurer en se tenant l'œil, il a accusé Jean-C. de faire exprès de mettre des pierres dans ses boules, alors papa a dit :

– Retour au calme. On va faire le plus énorme bonhomme de neige que la terre ait jamais porté. Au boulot, les enfants.

– Un bonhomme de neige, maintenant ? a râlé Jean-A. Quand est-ce qu'on va rentrer regarder la télé ?

Papa dirigeait les travaux.

Jean-D. et Jean-E. cherchaient des branches pour faire les bras, nous on roulait dans la poudreuse des boules de plus en plus énormes : une pour le corps, une plus petite pour la tête. Elles étaient si grosses qu'il fallait s'arc-bouter pour les faire bouger, tandis que maman, du balcon de la chambre, nous regardait d'un air attendri et prenait des photos.

– Hardi, moussaillons ! nous encourageait papa.

Il semblait fier de sa petite équipe, les oreillettes de son bonnet dressées par le gel au-dessus de sa tête. Comme il est très fort, il nous a aidés à rouler la plus grosse boule, et c'est là qu'il s'en est aperçu...

– Qu'est-ce que c'est que ça..., il a murmuré en reniflant ses moufles.

On a regardé à notre tour nos gants, nos anoraks. Sur tous les endroits qu'avait touchés la neige s'étalaient de longues traînées jaunâtres.

– Flûte, a juré papa en jetant un regard désespéré vers le balcon où maman prenait des photos. De la crotte de chien.

Pas de doute : en roulant les boules, on avait enduit les vêtements des cousins Fougasse avec les crottes de chien cachées sous la neige.

D'un coup, ça n'a plus été drôle du tout. On est revenus à l'hôtel, la tête basse en se pinçant le nez.

C'est maman, surtout, qui a été fâchée. Elle s'est mise à crier qu'elle était sûre que ça allait dégénérer. Comment elle allait faire, maintenant, hein ? Des vêtements presque neufs que les cousins avaient eu la gentillesse de nous prêter ! Décidément, on n'en ratait jamais une…

Papa a voulu plaisanter, mais il a tout de suite compris que ce n'était pas le moment.

On s'est déshabillés sans un mot, restant en caleçon long et sous-pull dans la chambre pendant que maman lavait tout dans le minuscule lavabo de la chambre.

– Bah, a essayé papa, c'est le charme de la montagne…

Maman lui a décoché un regard si noir qu'il s'est mis à siffloter en contemplant au loin les cimes enneigées.

– Voilà, a dit maman quand elle a eu fini. Il faut attendre que ça sèche maintenant. Pas de gants, pas d'anoraks. Bravo ! La journée est fichue.

– Tant pis, a dit Jean-A. Et si on descendait regarder la télé ?

Le lendemain, papa a eu une nouvelle idée.

Il est revenu du syndicat d'initiative tout excité avec des poignées de prospectus.

– Comment, pas encore prêts, les garçons ? Il fait un temps radieux. C'est le jour idéal pour aller à la Grande Aiguille. Rassemblement devant l'hôtel dans un quart d'heure.

Les anoraks avaient séché durant la nuit. On s'est tous équipés en râlant, mais papa ne voulait rien entendre : on n'était pas à la montagne pour s'abrutir toute la journée devant des programmes idiots.

La Grande Aiguille, c'est le sommet qui domine le village. Pour s'y rendre, il faut prendre le téléphérique. Papa a essayé d'avoir un prix mais, comme il avait oublié sa carte de réduction à la maison, il a dû payer des billets plein tarif.

– Aller et retour ? a demandé l'employé en mouillant ses doigts sur une petite éponge.

– Aller simple, a ricané papa. On compte bâtir un igloo et dormir tout nus là-haut.

– C'est vous qui voyez, a dit le type en détachant les billets.

– Quel crétin ! a murmuré papa tandis qu'on se rangeait devant le portillon. Qu'est-ce qu'il croit ? Qu'on va redescendre en parachute ?

La cabine était bondée, alors il a fallu attendre la suivante.

Quand ça a été à notre tour, on s'est entassés tous les sept dans le téléphérique, puis l'employé est monté avec nous et a claqué la porte.

– Attention au départ, il a dit.

Il y a eu une secousse, le grincement d'un mécanisme, puis la cabine a plongé au-dessus du vide.

– Alors ? Formidable, non ? a dit papa.

Personne n'a répondu. On avait l'impression d'être enfermés dans un emballage de Kinder, une sorte d'œuf en plastique à peine gros comme une balle de ping-pong. Jean-D. et Jean-E. se sont serrés contre maman, alors le type a dit :

– Déplacez-vous, monsieur, pour équilibrer la cabine. C'est plus prudent quand il y a du vent.

Quand j'ai pu regarder en bas, on était déjà à une hauteur vertigineuse. On apercevait les toits du village couverts de neige, des skieurs minuscules qui dévalaient les pentes.

– Des chamois ! a crié papa en désignant de petites taches sombres étagées sur le versant. Regardez, les enfants !

– Ce sont des vaches, a corrigé le type d'un air placide. Juste des vaches.

Papa a ri bruyamment, comme s'il venait de faire une bonne plaisanterie, mais ça n'a pas eu l'air d'amuser le type. De toute façon, à cette hauteur, on ne voyait plus rien, surtout avec le brouillard qui commençait à monter et noyait la vallée.

– Aïe ! a fait le type.

– Pardon ? a dit papa.

- Rien, rien, a dit le type.

– Vous avez fait « aïe », a insisté papa. Quelque chose ne va pas ?

– Non, non. Enfin, pour l'instant…

– Comment ça, pour l'instant ? s'est énervé papa.

Le type a eu un petit mouvement de menton vers la grisaille qui nous entourait :

– Mauvais signe, il a dit. Quand la brume monte… Mais le pire, ce sont les orages. Vous avez déjà vu la foudre traverser une cabine comme un coup de bazooka ?

– Un temps radieux, hein ? a fait maman en regardant papa dans les yeux.

– Bah, a dit le type, c'est la montagne. Le temps change plus vite qu'il ne faut pour le dire. Remarquez, ces cabines sont prévues pour résister à des rafales de plus de deux cents kilomètres heure.

– Papa, a murmuré Jean-C., je veux descendre.

– Allons, allons, a dit papa avec un sourire apaisant, il n'y a rien à craindre. C'est juste un nuage prisonnier dans la vallée. Là-haut, il fera beau.

Mais plus on montait, plus il faisait sombre. Les pylônes surgissaient du brouillard comme des fantômes géants, à chaque fois on avait l'impression qu'on allait s'écraser contre les montants métalliques.

Puis une sonnette s'est mise à retentir dans la cabine.

– Bizarre, a fait l'employé en mâchonnant sa

moustache. C'est le signal de surcharge. Ce téléphérique est pourtant prévu pour huit passagers.

On s'est comptés du regard, puis tous les yeux ont convergé vers maman et le petit passager clandestin qu'elle transportait dans son ventre. Avec le bébé, ça faisait neuf. Nous sept, bientôt huit, plus l'employé. Mais que peut bien peser un futur bébé qui ne naîtra que dans six mois ?

Impossible de le dire. Beaucoup trop sans doute car le téléphérique a eu une sorte de hoquet avant de s'immobiliser.

– Papa, j'ai peur ! a gémi Jean-D.

– Pas de panique, a dit l'employé en se fourrant un chewing-gum dans la bouche. Les câbles ont dû geler à la station du haut.

– Est-ce qu'on va s'écrazer, papa ? a zozoté Jean-E.

Nous avions stoppé entre deux pylônes et la cabine a commencé à se balancer au vent. Cramponné à la rambarde, je me suis tourné vers Jean-A., le roi des bricoleurs, comme s'il avait pu faire quelque chose. Mais, pour le moment, il était trop occupé à vomir dans le bonnet des cousins Fougasse.

– Remarquez, a dit l'employé, il y a rarement des accidents sur ce genre de cabine. Le dernier remonte à l'année dernière. Ils sont restés coincés toute une nuit dans le blizzard avant que l'équipe de secours ne vienne les délivrer.

– Formidable, a dit papa en déglutissant avec peine.

– Vous êtes avec des professionnels, a continué le type. Tenez, mon collègue, l'année dernière, le jour de l'accident : comme la cabine était trop chargée, il s'est sacrifié. Un saut de l'ange parfait.

– Et alors ? a demandé papa.

– Il s'est écrasé trois cents mètres plus bas comme un vulgaire caca d'oiseau.

– Ne vous gênez pas pour nous, a dit papa qui avait de plus en plus de mal à garder son calme. Je ne voudrais surtout pas vous priver de cette joie.

– Ce que j'en dis, a fait le type en haussant les épaules, c'est juste pour raconter.

– Eh bien, je vous prierai de vous taire. Il y a là des enfants influençables et…

Il n'a pas continué car une secousse a ébranlé la cabine qui a repris son ascension.

On a fini le voyage dans un silence de mort. Quand la cabine a touché le quai, au sommet de la Grande Aiguille, j'avais les genoux qui tremblaient et le cœur au bord des lèvres.

On s'est retrouvés sur une espèce de plate-forme métallique à battre la semelle pendant que papa essayait désespérément de déplier la carte que lui avait donnée le syndicat d'initiative.

– Nous y voilà, il a dit avec un entrain forcé. Le Belvédère de la Grande Aiguille. Les enfants, apprêtez-vous à contempler l'un des plus admirables panoramas qu'on puisse imaginer.

Imaginer, c'était bien le mot. Le brouillard était encore plus épais qu'en bas, on arrivait à peine à voir la pointe de ses propres chaussures. En plus, il devait bien faire soixante-douze degrés en dessous de zéro, car quand Jean-A. a voulu cracher dans le vide, il s'est retrouvé avec une sorte de petite stalactite de glace qui lui pendait de la lèvre.

– Oui, euh, bon… D'après ma carte, vous devriez apercevoir ici les magnifiques contreforts du Petit Bernard rutilant au soleil… Et ici, niché dans un vallon riant, le délicieux village de Cenis, à l'architecture si pittoresque…

– Super, a dit Jean-A. en claquant des dents. Tout le monde aux abris.

Papa a quand même voulu prendre une photo de notre expédition. On voit juste sa main en gros plan tâchant de protéger l'objectif des rafales de vent, et nous six derrière, agglutinés comme les rescapés d'une catastrophe aérienne.

C'est tout ce que j'ai gardé de notre visite de la Grande Aiguille. Cette photo, et un petit piolet taille-crayon que Jean-A. a volé dans la boutique où on s'est abrités en attendant le téléphérique du retour.

– Au moins, a dit Jean-A., on n'aura pas fait le voyage pour rien.

Le lendemain, on avait tous 39 de fièvre, sauf papa et maman qui circulaient dans les chambres en distribuant des cuillères de sirop.

J'avais l'impression d'avoir du coton dans les oreilles, les lignes de mon Club des Cinq dansaient devant mes yeux. J'ai dû dormir une partie de la journée.

Quand je me suis réveillé, Jean-A. sautait à pieds joints sur mon lit en poussant des cris atroces.

– Regarde, il a dit, avant de fourrer sous mon nez la manche vide de sa veste de pyjama. Ma main ! Gelée au huitième degré ! Papa a dû m'amputer avec les ciseaux à ongles.

– Tant mieux, j'ai dit. Ça t'empêchera de te mettre les doigts dans le nez.

Il s'est roulé sur le lit en mimant des spasmes d'agonie :

– Manchot, je suis manchot ! On va devoir me greffer une pince à sucre sur ce moignon sanguinolent…

– Eh bien, ça a l'air d'aller mieux là-dedans, a lancé papa en faisant irruption dans la chambre. Opération de la Terre à la Lune, et que ça saute !

Il nous a tendu à chacun un thermomètre, et on s'est tous enfouis sous les couvertures le temps de prendre notre température.

– 38,2 de moyenne, a dit papa. Ça baisse. Quand je vous le disais : rien de tel que l'air sec et vivifiant de la montagne ! Vous serez tous sur pied demain pour le réveillon de Noël.

Papa est très fort comme médecin.

Le soir de Noël, on avait tous 40. Jean-A. et moi, parce qu'on est les plus grands, on a eu le droit de descendre un moment, pour dîner. Il y avait de la dinde aux marrons, une bûche glacée, mais on n'a rien pu avaler. Jean-A. était écarlate, j'avais la tête qui tournait, l'impression que le sapin qui ornait la salle du restaurant allait s'effondrer dans l'assiette des dîneurs.

Après, on est remontés se coucher. C'était un drôle de soir de Noël, mais papa et maman ont quand même passé une bonne soirée avec M. et Mme Vuillermoz, leurs nouveaux amis.

M. et Mme Vuillermoz viennent à l'Hôtel du Mont d'Or depuis quarante ans. C'est peut-être pour ça que M. Vuillermoz passe ses journées en chaussons dans le hall à renseigner les skieurs sur le temps qu'il va faire. Mme Vuillermoz s'assied toujours dans le même fauteuil, celui près de la fenêtre, dans le salon de l'hôtel. Elle tricote sans arrêt des chaussettes et des caleçons de laine avec des restes de pelote, puis elle les met dans un colis et les envoie aux enfants pauvres du Togo.

Mme Vuillermoz est très bonne. Chaque fois qu'elle croise maman, elle lui dit :

– Quelle délicieuse petite famille vous avez là. Comme elle doit vous en donner, du travail !

– Oh, dit maman d'un air modeste, il suffit d'être organisée, voilà tout.

Papa adore passer ses après-midi à écouter M. Vuillermoz lui parler de sa collection de fossiles. Il en a deux cent cinquante-trois, tous anciens, rangés dans de petites vitrines de sa maison de Paris. M. Vuillermoz aussi est très bon : la fois où papa s'est endormi en face de lui, il a continué à parler, comme si de rien n'était.

De toute façon, il n'y a rien d'autre à faire, parce que la neige tombe sans discontinuer.

– Ça va se lever, pronostique chaque matin M. Vuillermoz en scrutant le ciel poudré de flocons. C'est moi qui vous le dis, ça va se lever.

C'est une chance que papa et maman aient pu se faire de nouveaux amis. Le soir de Noël, ils ont dû bien s'amuser ensemble, parce que quand ils sont remontés, j'ai entendu papa qui disait :

– Un mot de plus et je crois que je l'aurais étranglé avec ses propres bretelles.

– Ça ne se fait pas, a dit maman. Pas le soir de Noël.

– C'est vrai, a reconnu papa en riant. Joyeux Noël, ma chérie. Quelle idée j'ai eue de vous emmener ici ! Les enfants sont malades, impossible de mettre le nez dehors…

Maman a dit :

– J'adore ce Noël. Toute cette neige, ce chalet… J'ai l'impression d'habiter dans une boule de verre.

– En tout cas, a dit papa, en rentrant je pourrai me présenter à un jeu radiophonique : je suis devenu incollable sur les fossiles.

On avait quand même mis, au cas où, nos après-skis en rond devant la fenêtre, avec un verre de lait et une carotte pour les rennes du Père Noël.

– Est-ce qu'il aura notre adresse à la montagne ? s'est inquiété Jean-D.

Jean-A. a haussé les épaules avant de ricaner :

– Parce que tu crois qu'il existe, toi, le Père Noël ?

– Bien sûr que j'y crois, a dit Jean-D. Je sais qu'il existe pas, mais j'y crois quand même.

– Et qui t'a dit qu'il existait pas ? a demandé Jean-A.

– Un copain, à l'école. Il dit que c'est les parents qui mettent les cadeaux la nuit dans les chaussures.

– Le crétin, a pesté Jean-A. Si je le rencontre, il va passer un sale quart d'heure.

– Et pourquoi ? a demandé Jean-D.

– Parce qu'il a pas le droit de toucher à tes rêves d'enfant.

– Et moi ? a zozoté Jean-E. en posant ses petites pantoufles à côté de nos chaussures. Et moi, z'ai le droit d'y toucer ?

– Toi oui, a dit Jean-A. en se fourrant la tête sous l'oreiller. Maintenant, fermez-la. J'ai envie de dormir.

Papa l'avait bien dit : notre cadeau de Noël, cette année, c'était le séjour à la montagne. Mais quand on s'est réveillés, le matin, on avait tous un petit paquet dans nos chaussures.

– Ouah ! a crié Jean-C. en déballant le sien. Un piolet taille-crayon !

– Super ! a renchéri Jean-D. Moi aussi !

On avait tous le même petit piolet décoré d'un ruban, qui faisait stylo d'un côté et taille-crayon de l'autre. Exactement les mêmes que celui que Jean-A. avait fauché dans la boutique de souvenirs, à la Grande Aiguille.

Jean-A. et moi, on s'est regardés, et on a trouvé plus prudent de ne rien dire. On a fait semblant d'être super contents, même si on était horriblement déçus, juste pour faire plaisir à papa et maman qui nous contemplaient d'un air attendri.

– Oh, c'est une bricole, a dit papa, un petit cadeau symbolique. Parce que le vrai cadeau…

– C'est les vacances à la montagne, on a tous terminé en chœur.

N'empêche… Quand on a quitté l'hôtel, à la fin des vacances, on avait le cœur gros.

Les Vuillermoz, qui sont très bons, avaient tenu

à nous accompagner jusqu'à la gare. Même que, quand papa recomptait les valises, Mme Vuillermoz nous a offert à chacun une des paires de chaussettes qu'elle tricote pour les petits Africains pauvres.

Cette fois, on a bien vérifié que Jean-C. montait avec nous dans le train.

– C'est entendu, n'est-ce pas ? a crié M. Vuillermoz en agitant la main. Si vous passez à Paris, j'aurai des tas de nouveaux fossiles à vous montrer !

– Bien sûr, bien sûr ! a dit papa. Vous pouvez compter sur nous.

– Quel dommage que vous partiez déjà, a conclu M. Vuillermoz. Ça allait juste se dégager...

On a retrouvé Cherbourg, notre voiture bien sagement garée sur le parking de la gare.

Il avait un peu neigé ici, mais à peine, une couche légère qui ne semblait pas vraie.

Quand on est arrivés devant l'immeuble, papa a dit :

– Je monte le premier avec les bagages. Donnez-moi juste quelques minutes.

On a attendu l'ascenseur suivant.

Mais quand on est entrés à notre tour dans l'appartement, une surprise nous attendait.

On est restés pétrifiés sur le seuil, bouche ouverte, contemplant le salon où attendait papa, une petite lueur de triomphe dans les yeux.

Comment avait-il fait pour tout préparer en si peu de temps ? Je ne le saurai jamais.

Les lumières du sapin brillaient de mille feux. Le petit Jésus était à sa place, au milieu de la crèche, nos cinq moutons rangés autour de lui.

Dessous, il y avait cinq bottes en caoutchouc, rangées par taille décroissante, et devant chacune…

Des paquets. D'énormes paquets, certains carrés, d'autres rectangulaires, tous enveloppés dans du papier-cadeau rouge et doré, avec une petite carte scotchée dessus : « Pour Jean-A. Pour Jean-B. Pour Jean-C… »

– Joyeux Noël, a dit papa d'une voix un peu enrouée. Tous ces paquets étaient trop gros à transporter à la montagne. Le Père Noël a dû les déposer là en notre absence.

– Comment il a fait ? a demandé Jean-D. en jetant des regards éberlués autour de lui. Les volets étaient fermés.

– Bah, a dit maman. Il a dû penser que vous le méritiez tous les cinq. Le reste, c'est son secret…

A
C
E
B
D

À la piscine municipale

Le samedi n'est pas un jour comme les autres.

D'abord parce que papa vient nous chercher à la sortie de l'école.

Quand on passe le portail, on l'aperçoit de loin, dans la foule des parents. Papa est si grand qu'à côté les autres pères paraissent des pères pygmées.

Tous nos copains sont jaloux. Même François Archampaut dont le père est très riche et possède plusieurs usines.

François Archampaut dit que son père fait du karaté et qu'il est tireur d'élite, mais je l'ai vu une fois : un petit type tout chauve avec un costume à rayures qui attendait François, assis sur la banquette arrière d'une grosse DS 19. Ses lunettes arrivaient à peine à hauteur de la vitre. Le chauffeur a ouvert la portière et François a sauté à l'intérieur comme s'il avait honte.

– Il faut être petit pour être ceinture noire, il a dit. T'as qu'à voir les Japs. Petits et rapides. Tu te glisses sous les grands balèzes, et hop ! tu utilises leur force pour les flanquer par terre.

– Sûrement, j'ai dit.

– Tu ne me crois pas ? Mon père, il est spécialiste de planchette japonaise. Une prise terrible ! Tu meurs ou tu restes paralysé à vie.

– C'est du judo, j'ai dit. Pas du karaté.

– Et alors ? Quand il était homme-grenouille, mon père, il pratiquait tous les arts martiaux !

– Dis-lui qu'il peut enlever son masque de plongée, a ricané Jean-A.

– D'abord, c'est pas un masque, a dit François. C'est des verres correcteurs. Il a failli perdre la vue en mission spéciale, même qu'on l'a décoré pour ça…

Jean-A. déteste François Archampaut. Sans doute parce que c'est mon meilleur ami, qu'on est en CM1 alors que Jean-A. est en 6e.

Tous les soirs, le chauffeur vient chercher François Archampaut dans la DS 19.

François dit que ce n'est pas un chauffeur, mais un garde du corps. Son père est menacé de mort par des espions mongols, il a besoin de protection 24 heures sur 24.

C'est pour ça que François ne peut jamais rentrer à pied, ni aller jouer chez des copains le jeudi après-midi, des fois qu'on voudrait l'enlever pour le torturer à mort.

– À mon avis, le Mongol, c'est toi, prétend Jean-A. Mon père, il mettrait une dérouillée au tien rien qu'avec la main gauche.

Le samedi, on n'a pas le temps de se disputer à la sortie de l'école parce que papa nous attend. Il est passé chercher Jean-D. à la maternelle, il veut toujours porter nos cartables et nous acheter une bricole sur le chemin du retour, juste parce que c'est samedi et qu'il ne travaille pas.

Alors on passe par les Magasins Réunis, on fouine au rayon jouets devant les étalages de soldats et de petites voitures.

Jean-A. fait la collection de soldats napoléoniens en plomb. Il les prend tout bruts, puis les décore avec de minuscules pinceaux et de petits pots de peinture spéciale. Il a des grenadiers, des dragons, des maréchaux à cheval avec un chapeau à plumet, des soldats du ravitaillement qui portent en bandoulière des barriques et des sacs de poudre.

– Celui qui touche à mes soldats, il est mort, il dit.

Moi, ce serait plutôt les cyclistes. J'en ai du Tour de France, avec les maillots et les casquettes aux couleurs de l'équipe, les dossards et les bidons fixés sur le cadre. C'est surtout un jeu d'été, à cause du Tour de France qui commence en juillet, mais j'en profite pour en avoir un de plus, en prévision, et on rentre à la maison en parlant des notes qu'on a eues durant la semaine.

Enfin, surtout des bonnes…

Parce que si on a bien travaillé, le samedi après-midi, papa nous emmène à la piscine municipale, sauf Jean-E. qui est trop petit.

La piscine de Cherbourg, c'est un grand bâtiment en béton, sur le port, avec des vitres immenses qui donnent l'impression de se baigner au milieu d'une tempête. La piscine est chauffée, mais par les baies vitrées, on aperçoit les vagues qui se brisent sur la jetée, la pluie qui tombe au-dehors, on a toujours la chair de poule.

Quand on entre, ça sent le chlore et les chaussettes, on entend la voix du maître nageur qui résonne, le bruit de ses tongs qui claquent le long du bassin. On se déshabille à deux dans les cabines pour gagner du temps, puis on fait semblant de passer sous la douche, parce qu'elle est glacée.

Jean-A., qui sait déjà nager, nous nargue en faisant la danseuse africaine, avec la clef du casier à vêtements serrée autour de la cheville par un bracelet de plastique.

– C'est la banquise ! il hurle. L'eau est gelée à moins 120 degrés ! Les survivants à bout de forces s'accrochent des ongles aux blocs de glace à la dérive !

Profitant que papa ne le voit pas, le maître nageur lui allonge une taloche puis il nous range le long du bassin.

– Alors, les crevettes ! On a la pétoche, hein ? Vous allez voir ce que vous allez voir ! Échauffement ! Et pas question de tirer au flanc, hein ? Je vous ai à l'œil, moi.

Le maître nageur s'appelle Michel. Papa a beaucoup de respect pour lui, peut-être à cause des énormes biscoteaux qu'on voit sous son tee-shirt. Il a un minuscule maillot, des tongs en plastique jaune et des cheveux en brosse plantés au ras des sourcils.

– Flex-xion... ! Res-spiration... ! Flex-xion... ! il beugle, un poing sur la hanche, s'appuyant de l'autre à une perche métallique. Hé toi, le petit gros, là-bas ! Tu me les plies, ces genoux, oui ?

Le petit gros, c'est moi. Je déteste être en maillot de bain parce que j'ai le ventre qui plisse. Jean-C., lui, est tout maigre, alors c'est toujours lui qui montre les exercices.

Mais le plus veinard, c'est Jean-D. Comme il a juste quatre ans, il apprend à nager dans le petit bassin avec Isabelle. Isabelle est très gentille, elle a des cheveux blonds tressés en natte, un maillot olympique et s'occupe du mini-club. Elle appelle Jean-D. « mon canard » et a gagné des tas de médailles aux derniers championnats de France.

Michel, notre maître nageur, n'a rien gagné du tout. Il a tellement de muscles sur le torse qu'il a du mal à rapprocher les bras.

Dès qu'il a cinq minutes, il monte sur le grand plongeoir et fait des sauts acrobatiques. On entend la planche vibrer, un grand plouf, mais comme Isabelle ne regarde pas, il remonte sur le plongeoir et s'exerce à des sauts de plus en plus compliqués avec l'air dégagé du type qui fait ça chaque matin avant son petit déjeuner.

Nous, pendant ce temps, on enchaîne les longueurs avec la planche. Chaque fois que je sors la tête de l'eau, j'aperçois Michel suspendu dans les airs avec des poses de statue vivante.

Le plus drôle, c'est la fois où il a essayé de se repeigner au milieu d'un plongeon carpé… Ça a dû le déséquilibrer, parce qu'il s'est mis soudain à battre des bras et des jambes avant de faire un plat tonitruant qui a vidé la moitié du bassin.

Jean-A. se gondolait de rire sur les gradins, alors Michel est sorti de l'eau très rouge et nous a donné cinq longueurs de plus à faire en s'époumonant dans son sifflet.

Mais le mieux, c'est quand on rentre.

Avec toutes les tasses qu'on a bues, on a l'estomac qui pèse des tonnes. Dehors, il pleut parce que c'est l'hiver et qu'on est à Cherbourg, on grelotte à cause de nos cheveux mouillés et on se sent tout faibles d'avoir tant nagé.

Chaque samedi, quand on revient de la piscine, maman a préparé une gougère.

C'est une espèce de couronne en pâte à choux dorée, moelleuse et chaude comme une brioche qui embaume jusqu'en bas de la cage d'escalier.

J'adore la gougère. C'est mon plat préféré. Le menu spécial du retour de la piscine. Une sorte de promesse dorée et succulente flottant au-dessus des courants d'air et de l'odeur de désinfectant de la piscine...

On commence par se faire gronder parce qu'on ne s'est pas bien séché les cheveux, on étend les maillots et les serviettes au-dessus de la baignoire, puis papa dit :

– Qu'est-ce qu'on mange de bon, ce soir ? J'ai une faim de loup !

– C'est une surprise, dit toujours maman. Un reconstituant pour mes grenouilles.

Quand elle apporte le plat du four, on pousse tous des cris émerveillés comme si on ne s'était doutés de rien. Nos diplômes de 25 mètres brasse trônent sur la commode, on se gave de pâte à choux jusqu'à avoir l'estomac qui explose. La croûte craque sous la dent, la pâte chaude fond dans la bouche, on raconte nos exploits nautiques tandis que la pluie fouette les carreaux et que la corne de brume mugit dans le lointain.

Un samedi, ça a bardé.

Papa était venu comme d'habitude nous chercher à l'école, mais à sa manière de se mordre l'intérieur de la joue, on a vite compris que quelque chose n'allait pas.

Il a dit :

– Qui a encore bouché les toilettes avec des kilomètres de papier ?

On s'est tous regardés d'un air innocent. Les toilettes ? Des kilomètres de papier ? Nous ?

– La cuvette a débordé, a dit papa. J'ai passé la matinée à chercher un plombier. Si personne ne se dénonce, tant pis : il n'y aura pas de piscine cet après-midi.

On est rentrés au pas de charge. Papa marchait en tête, nous on suivait avec nos cartables sur le dos, l'oreille basse, en s'accusant les uns les autres.

– Puisque vous n'avez pas le courage de vos actes, a déclaré papa quand on a été à la maison, vous resterez consignés dans vos chambres pour l'après-midi.

– Y en a marre, a dit Jean-A. quand on s'est retrouvés seuls. Marre de payer pour vos bêtises !

– C'est pas moi, a dit Jean-C.

– C'est pas moi non plus, a dit Jean-D. D'abord, je suis trop petit : je sais pas ce que c'est, des kilomètres...

– Je t'apprendrai que c'est toi qui as inondé la maison, l'autre soir, a dit Jean-C. Quand papa et maman étaient au cinéma.

– Non, c'était la faute de Jean-B. Il avait ouvert les robinets à fond et je n'ai pas su dans quel sens les tourner.

Cette fois-là, le soir de l'inondation, on était tous dans le coup. On s'était amusés à donner un bain aux poissons rouges dans le lavabo, puis on avait oublié de fermer le robinet.

Quand papa et maman étaient rentrés du cinéma, l'eau dégoulinait déjà dans les escaliers. Ils nous avaient trouvés en pleurs, debout sur des chaises, avec les poissons rouges qui se promenaient dans dix centimètres d'eau à travers tout l'appartement.

Pour la cuvette bouchée, personne ne voulait reconnaître que c'était lui. On a commencé à se disputer, puis Jean-A. a dit :

– J'ai un plan. On n'a qu'à dire que c'est Jean-E. Comme il ne va pas à la piscine et que c'est le chouchou, papa ne dira rien.

Tout le monde a été d'accord, sauf Jean-E. qui s'est mis à trépigner en menaçant de tout raconter.

– Et si on tirait à la courte paille ? j'ai proposé.

Aussitôt dit, aussitôt fait. Jean-A., qui veut toujours être le chef, a cassé cinq baguettes du Mikado, les a cachées dans sa paume, et on a tous tiré à notre tour.

Évidemment, je suis tombé sur la plus petite.

– Tu as triché ! j'ai dit. Tu l'as fait exprès !

– Qu'est-ce que tu risques, banane ? s'est défendu Jean-A. Tu te dénonces, tu prends un bon savon et on va tous à la piscine... Pas plus compliqué que ça !

– Facile à dire pour toi. T'as qu'à y aller, si c'est si simple.

– Pas question, a dit Jean-A. Le sort, c'est le sort. J'ai remarqué que ça tombe toujours sur le plus gros.

– Je suis pas gros, d'abord. Répète un peu et tu vas voir.

Mais ça n'était pas le moment de se disputer si on voulait encore avoir une chance d'aller à la piscine.

– Allez, courage, a dit Jean-C. en me serrant la main avec émotion. Je suis content de t'avoir connu, vieux frère.

– Promets-moi de me léguer ton canif suisse si les choses tournent mal ! a crié Jean-A. comme je quittais la chambre.

J'ai pris une grande inspiration et j'ai tapé à la porte du salon.

– Entrez ! a tonné la voix de papa.

Un instant, j'ai failli me défiler. Après tout, je déteste la piscine. Mais une vision de gougère dorée et odorante m'a traversé l'esprit, me faisant presque défaillir de gourmandise.

C'était Jean-A. qui avait raison après tout : papa allait crier un bon coup puis, « faute avouée étant à moitié pardonnée » comme il dit, tout serait terminé… On n'aurait plus qu'à enfiler nos maillots et on n'en parlerait plus.

En fait, ça n'est pas du tout comme ça que ça s'est passé.

Papa devait être dans un sacré pétard parce que j'ai pris la première fessée déculottée de ma vie !

– Alors ? a demandé Jean-A. quand je suis revenu, tout raide et crispant le menton pour m'empêcher de pleurer. C'est gagné ?

J'ai fait non de la tête, alors il a dit :

– Tu es trop nul ! Tant pis : j'y vais. On va voir ce qu'on va voir.

Quand il est revenu à son tour, très rouge et tenant ses bretelles, il n'a pas eu besoin d'expliquer.

Jean-C. y est allé, puis Jean-D., puis Jean-E., mais lui c'est pas pareil : il a encore des couches pour le protéger.

Chacun à notre tour, on a défilé dans le salon pour s'accuser d'avoir bouché les cabinets.

Mais papa a dû sentir le coup monté, parce qu'on n'est pas allés à la piscine non plus.

Pas de piscine, pas de gougère. On a fini l'après-midi enfermés dans nos chambres sans pouvoir nous asseoir tant les fesses nous cuisaient.

– Toi et ta courte paille, je te retiens, a fait Jean-A. en me foudroyant du regard. En plus, c'était mon jeu de Mikado ! Il est fichu, maintenant. T'as intérêt à me le repayer sur ton argent de poche.

Je lui ai envoyé une beigne, alors tout le monde s'y est mis.

Jean-E., qui est le plus petit, griffait et tirait les cheveux, Jean-D. essayait de faire avaler à Jean-C. le contenu d'un encrier pendant que Jean-A. et moi on se roulait sur le linoléum. Une vraie castagne générale, comme dans les westerns.

Piscine ou pas, ça a été un sacré bon samedi quand même.

Surtout quand la cuvette des cabinets a débordé une nouvelle fois.

On était encore en train de se battre quand on a entendu le glouglou des tuyaux et un énorme juron.

On s'est précipités dans le couloir pour voir papa sortir en pataugeant, la ventouse dans une main et la serpillière dans l'autre.

– Si je tenais ce… ce… ce tartempion de plombier ! il a commencé.

Puis il nous a vus tous, hilares, embusqués dans l'angle du couloir :

– Ça vous amuse, hein ? il a rugi. Vous ne perdez rien pour attendre ! À la rentrée prochaine, je vous inscrits tous en pension à l'École des enfants de troupe !

C'est la menace qu'il brandit toujours quand il est en colère.

Nous, on a filé dans nos chambres avec un petit sifflotement de triomphe, claquant les portes un peu trop bruyamment.

On était bien vengés.

Je ne sais pas si ça a un rapport, mais, le soir, j'ai entendu maman qui disait à papa :

– C'est gentil de vouloir m'aider parce que je suis enceinte, mais quelle idée t'a pris de jeter là-dedans la litière du cochon d'Inde ?

La semaine d'après, on est retournés à la piscine et on n'a plus jamais reparlé du coupable.

Allez savoir pourquoi.

Un jeudi du Club des Cinq

Un jeudi qu'il pleuvait, Jean-A. a dit :

– Si on faisait un club de détectives ?

À Cherbourg, il pleut toujours le jeudi. Les autres jours aussi, mais le jeudi c'est embêtant parce qu'on n'a pas école.

Dans notre manuel de géographie, Cherbourg est cité dans les records : c'est la ville de France où il pleut le plus souvent. Nous, on est plutôt fiers d'habiter dans un record mais, le jeudi, on préférerait que ce soit celui du beau temps.

Comme c'est l'hiver, de toute façon, on reste souvent à la maison. Le matin, on va à la bibliothèque municipale avec Jean-A. Il ne lit que des livres de modélisme et des bouquins d'histoire sur les armées de Napoléon, moi des livres d'aventures et de mystères.

J'adore toutes les séries. Celles pour garçons, bien sûr, les Club des Cinq, les Clan des Sept, les Michel, les Langelot, les Jacques Rogy et les Signes de Piste, mais aussi les enquêtes d'Alice Roy, des sœurs Parker, les Fantômette, ce qui fait ricaner Jean-A. :

– Trop débile, il dit. Des livres de filles, pouah !

Il a de la chance, parce que souvent, en fin d'après-midi, le jeudi, il va voir *Zorro* chez Stéphane Le Bihan.

Stéphane Le Bihan est le meilleur copain de Jean-A. Peut-être parce qu'il a la télé et qu'il habite le même immeuble que nous. Ils se font des échanges de timbres, de vignettes de footballeurs et des porte-clefs publicitaires qu'ils ont en double.

– Aahah ! rigole Jean-A., quand il revient de chez Stéphane Le Bihan avec sa boîte à secrets sous le bras. Le crétin : je l'ai encore roulé !

Comme Jean-A. est l'aîné, grand-papa lui a donné sa collection de timbres personnelle. Dedans, il n'y a que des timbres minuscules et tout jaunis, avec des portraits de reines aux tons passés et des noms qui ressemblent à des éternuements : Republik Magyar, Czékozlovakia, Belouchistan…

Jean-A. est très maniaque. Il les manipule avec

une petite pince, les classe par séries à l'aide du catalogue Thiaude que lui achète chaque année grand-papa. Sur son bureau, il y a toujours un bol rempli d'une eau un peu gluante dans laquelle il met à tremper des bouts d'enveloppe. Le timbre se décolle au bout d'une journée, il le met ensuite à sécher entre deux buvards.

– Le premier qui touche à ma collec, il dit, il est mort.

Un jour, pour lui faire une surprise, j'ai échangé une de ses séries de vieux timbres fripés à 6 *pence* contre des timbres magnifiques qu'avait François Archampaut. D'immenses timbres en couleurs flambant neufs qui représentaient toutes les épreuves des jeux Olympiques d'hiver.

J'ai cru que Jean-A. allait tomber malade. En ouvrant son album, il est devenu blanc, puis vert, puis rouge.

– Ahrhg..., il a fait en dégrafant son col. Au secours ! De l'air ! J'agonise !

Le soir, ça a bardé pour mon matricule.

– Ce n'est pas la taille qui fait le prix d'un timbre, a hurlé papa. C'est sa rareté ! Ces petits trucs mités, comme tu les appelles, valent une fortune pour les collectionneurs !

Papa a dû prendre son téléphone et tout expliquer à M. Archampaut. Que c'était une méprise, une bêtise de gosse, qu'il serait heureux d'aller lui-même rechercher les timbres chez M. Archampaut quand ça lui conviendrait, sans le déranger surtout…

Comment je pouvais savoir, moi, que chacun de ces ridicules rectangles dentelés valait chacun dix fois plus que la série complète des jeux Olympiques d'hiver ?

Depuis, Jean-A. appelle François Archampaut « l'escroc de la philatélie », et mon père ne salue plus le sien quand ils se rencontrent, le samedi, à la sortie de l'école.

– Un club de détectives ? j'ai dit. Pourquoi tu n'en fais pas un avec Stéphane Le Bihan, puisque vous êtes si forts ?

– Impossible, il a dit. Stéphane Le Bihan a un appareil pour les dents. Tu le vois faire des enquêtes avec ce machin dans la bouche ?

– D'accord, j'ai dit. Mais à une condition : c'est moi qui serai le chef.

Comme il tombait des cordes, on a commencé par se fabriquer des cartes de détective sur de petits rectangles de bristol.

Sur la mienne, j'ai marqué :

Jean-B.
Détective Spécial
(Enquêtes, Filatures, Opérations secrètes.)

Ordre à toutes les polices d'aider
le titulaire de cette carte.
Signé :
Commandant X,
Responsable des Services Secrets.

– Commandant X ? a ricané Jean-A. Tu parles d'un nom !

– C'est un pseudonyme, j'ai expliqué. Personne ne peut connaître son identité puisqu'il est chef des services secrets.

– Pourquoi il signe, alors ?

– T'occupe, j'ai dit. C'est un secret.

Jean-A. a pris sa loupe de philatélie pour relever les empreintes, moi mon couteau suisse à huit lames, au cas où on aurait des serrures à forcer, et un petit carnet à indices.

– Et maintenant ? a demandé Jean-A.

– Il nous faut un code secret, j'ai dit. Pour pouvoir communiquer sans être compris des bandits.

Jean-A. a pris un des talkies-walkies que nous avait offerts papy Jean à Noël et il s'est enfermé dans la salle de bains.

– Allô ? j'ai dit. Delta Bravo à Tango Alpha. Me recevez-vous ?

Le talkie a crachoté.

– Qui veux-tu que ce soit d'autre, crétin ? a fait la voix horriblement déformée de Jean-A.

Je lui ai lu lentement le message que j'avais préparé.

– Tango Alpha, ici Delta Bravo : fkafsfar prpmbzq bk srb… Je répète : fkafsfar prpmbzq bk srb…

Jean-A. est sorti furieux de la salle de bains :

– Qu'est-ce que c'est que ce charabia ? Tu as eu une attaque cérébrale, ou c'est juste pour m'embêter ?

– Banane, j'ai dit. Ça veut dire : individu suspect en vue. C'est un code secret de mon invention : tu décales les lettres de l'alphabet de trois crans et…

– J'en ai marre, a coupé Jean-A. D'abord, détectives, c'est un jeu nul. On n'a même pas de mystères à résoudre.

– Qu'est-ce que tu crois ? j'ai dit, un peu vexé. Les mystères, il faut les trouver.

– À quoi vous jouez ? a demandé Jean-C. en entrant en coup de vent dans la chambre. On s'ennuie. Est-ce qu'on peut jouer avec vous ?

– Pas question, a dit Jean-A. On fait un club de détectives : les nains ne sont pas acceptés.

– C'est maman qui l'a dit ! a décrété Jean-D. en entrant à son tour, une ceinture de cow-boy trop grande lui tombant sur les fesses.

– Et moi ? Et moi ? a pleurniché Jean-E. en se propulsant à toute vitesse sur son pot. Ze veux zouer aux détectives, moi aussi.

– S'il faut s'occuper des petits, a dit Jean-A., je préfère me mettre la tête dans le four tout de suite.

On a commencé à se disputer salement, alors maman a crié qu'elle allait nous donner les chambres à ranger à fond si on n'était pas capables de passer un après-midi sans se chamailler.

– D'accord, j'ai dit. D'accord. On va jouer au Club des Cinq, mais je vous préviens : c'est moi qui serai le chef.

Au début, tout le monde a été d'accord. Je faisais Mick, Jean-A. était François.

– Qui veut faire le chien Dagobert ? j'ai demandé.

– Moi, moi ! a crié Jean-E.

Il s'est jeté à quatre pattes et a commencé à nous mordiller les pantalons en aboyant comme un forcené.

J'ai continué à distribuer les rôles :

– Jean-C. sera Claude, et toi, Jean-D., tu seras Annie.

C'est là que tout s'est compliqué.

– Je fais pas les filles, a décrété Jean-C.

– Claude n'est pas une fille, a essayé d'expliquer Jean-A. C'est un garçon manqué.

– Moi non plus, a protesté Jean-D. Je joue pas les rôles de filles.

Jean-A. a haussé les épaules avec accablement :

– J'étais sûr que ça tournerait en eau de boudin si on acceptait ces sous-développés.

– J'y peux rien, j'ai dit, s'il y a deux filles dans le Club des Cinq.

Jean-A. et Jean-C. ont commencé à se taper dessus, ça a dégénéré, et maman a dû intervenir.

– Les moyens dans leur chambre, elle a dit. Puisque vous êtes incapables de jouer avec les plus jeunes, Jean-A. et Jean-B., vous allez sortir me faire des courses. Ça vous rafraîchira les idées…

C'est toujours pareil : dès qu'il y a un rôle de princesse ou de mutante extraterrestre, personne ne veut le faire. Impossible de jouer aux chevaliers, aux pionniers intersidéraux ou à Thierry la Fronde délivrant Isabelle comme dans le feuilleton de la télé.

C'est le problème d'être une famille de cinq garçons.

Au moins, quand Hélène sera née, on pourra la déguiser et imaginer qu'elle est la fille d'un roi enlevée par des seigneurs félons. Mais, comme dit papa, le temps qu'elle soit assez grande pour jouer avec nous, on aura tous du poil aux pattes…

Heureusement, il ne pleuvait plus.

On a pris la liste des commissions et c'est en bas de l'immeuble que j'ai eu une idée :

– Si on en profitait pour s'entraîner à faire des filatures ?

On est partis vers l'épicerie en cherchant un

suspect à l'air louche. Les trottoirs étaient trempés, les gens se hâtaient de rentrer, un cabas à la main, surveillant le ciel qui menaçait.

On a d'abord suivi un curé en soutane et sandales jusqu'au cinéma Rex. Là, il s'est arrêté devant les affiches, a eu l'air d'hésiter, puis il a pris un billet et a disparu à l'intérieur.

– Mince, s'est exclamé Jean-A. Un curé qui va voir le dernier James Bond !

– Et si c'était un agent russe déguisé ? j'ai dit.

La séance venait de commencer de toute façon, impossible de l'attendre pour vérifier.

On a cherché quelqu'un d'autre, mais dans la vitrine du magasin d'électroménager, il y avait des télés qui marchaient. Comme c'était l'heure de *Zorro*, Jean-A. a voulu rester.

J'avais beau le tirer par la manche, impossible de le décoller de la vitrine. Le type du magasin est sorti sur le pas de sa porte, il nous a demandé ce qu'on faisait là à regarder gratuitement ses télés, alors Jean-A. s'est un peu énervé :

– Vous avez qu'à pas les allumer si vous voulez que personne les regarde, il a dit.

– Petit malappris ! a fait le type. Je vais t'apprendre la politesse, moi.

– C'est facile de s'en prendre à un enfant qui porte des lunettes, a rétorqué Jean-A. Vous feriez moins le fier si mon père était là.

Le type s'est un peu énervé à son tour, alors il a pris Jean-A. par une oreille et lui a demandé l'adresse de ses parents. Jean-A., sans se démonter, a donné celle de François Archampaut, mon meilleur copain.

– Très bien, a dit le type en le relâchant. Ton père aura de mes nouvelles, fais-moi confiance.

On a détalé en se poilant comme des bossus.

– La tête que va faire le père Archampaut ! a rigolé Jean-A. J'aimerais être là pour voir ça !

On a continué à marcher dans les rues. Le soir tombait. Près du marché couvert, il s'est mis à pleuvoir, alors on s'est abrités sous un porche en attendant que ça passe, et c'est là qu'on a aperçu le suspect...

Un type qui descendait du bus, parapluie à la main. Grand, avec un manteau gris à col relevé, une épaisse écharpe de laine et un chapeau qui lui dissimulaient complètement le visage.

J'ai pincé le bras de Jean-A. :

– Regarde : l'homme sans visage !

Sous l'abri, notre suspect a bataillé avec son parapluie, l'ouvrant et le refermant plusieurs fois avant de s'éloigner sur l'avenue. Un vieux truc d'espion pour avertir un complice que la voie est libre.

Mon sang n'a fait qu'un tour :

– Vite, suivons-le ! j'ai lancé.

On s'est précipités derrière lui.

Le plus difficile, dans une filature, c'est de ne pas se faire repérer.

Le suspect marchait d'un pas décidé, nous obligeant presque à courir. La pluie tombait dru, il fallait sautiller entre les flaques, se glisser d'une porte cochère à une autre avec des ruses de Sioux pour ne pas être vus. Les gouttières nous ruisselaient dans le cou, on était trempés, mais qui a dit qu'être détective est un métier facile ?

Une ou deux fois, l'homme s'est arrêté devant la vitrine d'un magasin, faisant mine d'admirer la devanture pour vérifier que personne ne le suivait.

À un moment, à cause de la nuit, on a cru l'avoir perdu.

Mais non : il était entré chez le droguiste de la Grand-Rue. Planqué sur le trottoir d'en face, je l'ai vu glisser dans son sac une paire de gants pour la vaisselle, un grand couteau et un rouleau de ficelle à gigot.

– De plus en plus bizarre, j'ai murmuré pendant qu'il payait à la caisse.

– On rentre, a dit Jean-A. J'ai froid, j'ai les pieds trempés. Y en a marre des filatures.

– Tu n'as donc rien compris ? j'ai dit, au comble de l'excitation. Il achète de quoi se débarrasser d'un cadavre encombrant ! Il le coupe en morceaux, le saucissonne comme une momie, et ni vu ni connu !

– Tu crois ? a fait Jean-A.

On a eu juste le temps de se dissimuler derrière une voiture en stationnement. L'assassin sans visage sortait de la droguerie et repartait à grands pas vers le centre, son matériel sous le bras.

La poursuite aurait pu durer longtemps.

Brusquement, l'homme a traversé devant les Magasins Réunis et s'est engouffré par la porte à tambour.

Le temps de traverser à notre tour, il avait disparu.

On s'est mis à sprinter dans le magasin, mais avec la foule du soir, les animations de la Semaine du Blanc, impossible de le retrouver.

– Un truc classique, j'ai dit, hors d'haleine. Il y a une sortie par-derrière. Il en aura profité pour nous filer entre les doigts.

– Tu rigoles, a dit Jean-A. On est des as du camouflage : il n'a pas pu nous repérer.

– Je vous y prends, mes gaillards ! a tonné une voix derrière nous.

J'ai poussé un cri. L'assassin sans visage venait de surgir de l'abri d'un portant chargé de pantalons pour hommes.

Avant qu'on ait eu le temps de dire ouf, il nous avait crochetés tous les deux par le col et nous secouait comme un prunier.

– Ça ne va se passer comme ça ! Je vais vous apprendre, moi, à suivre les gens dans la rue !

– Lâchez-moi ! j'ai crié, me débattant comme un beau diable.

– Pas avant que vous ne m'ayez expliqué votre petit manège ! a grondé le type sans lâcher prise.

Dans sa hargne, son écharpe avait glissé, révélant un visage écarlate sous de fines lunettes à montures noires.

Jean-A. a poussé un gargouillis de surprise.

– Monsieur Martel ?

– Jean-A. ? a dit l'homme en écho. Mais qu'est-ce que tu fais là ?

Sa poigne s'est desserrée brusquement pendant que le rouge me montait au visage.

– Monsieur Martel ? j'ai dit à mon tour.

Catastrophe ! Notre assassin sans visage n'était autre que M. Martel, le maître de CM2 de Jean-A. !

Mes doigts de pieds se rétractaient dans mes chaussures tandis que je balbutiais des explications :

– On ne vous avait pas reconnu… À cause de la pluie… Jean-A. et moi, on fait un club de détectives et… C'est-à-dire… On avait pensé…

M. Martel est super sévère. Il porte un cache-nez en classe et soulève les élèves par les oreilles quand ils se trompent dans les divisions à retenue. Un jour, Stéphane Le Bihan a eu six cents lignes à copier parce qu'il s'était fait prendre à lancer des boulettes au tableau. On allait vraiment passer un mauvais quart d'heure !

– Un club de détectives, hein ? a fait M. Martel en retenant un sourire. Et à qui croyiez-vous avoir affaire ?

– C'est-à-dire…, a commencé Jean-A. C'est la faute de Jean-B… À cause des gants et de la ficelle… Il a pensé que vous vouliez découper un…

Sa bouche s'est ouverte et refermée, mais aucun mot n'est sorti de sa gorge.

– J'ai lu ça une fois dans un livre, j'ai bredouillé. Pour se débarrasser d'un… euh… cadavre compromettant…

– Hon hon, a fait M. Martel en hochant lentement la tête. Pas trop mal raisonné. Félicitations, messieurs ! Une déduction digne des Trois jeunes détectives d'Alfred Hitchcock. Tu n'as pas lu cette série, Jean-B. ?

J'ai fait non de la tête.

– Eh bien, rappelle-moi de t'en prêter un tome l'année prochaine. J'ai toute la série à la bibliothèque.

J'ai eu l'impression que ma pomme d'Adam se bloquait dans ma gorge.

– L'année prochaine ? j'ai répété.

– Quand tu seras dans ma classe, en CM2, a dit M. Martel avec un clin d'œil malicieux. En attendant, je vous salue, messieurs les détectives. Et si vous découvrez un autre assassin, prévenez-moi, n'est-ce pas ? Je serai ravi de vous aider.

– C'est ta faute, aussi, a explosé Jean-A. tandis que M. Martel disparaissait par l'escalier roulant. Toi et tes jeux débiles !

– Comment ça, mes jeux débiles ? Je te rappelle que c'est toi qui as voulu qu'on fasse un club !

– En tout cas, moi, quand je serai grand, j'ouvrirai un club pour fils uniques... On jouera au billard toute la soirée en buvant du Fanta citron !

– T'auras même pas le droit d'y entrer...

– Excuse-moi, mais de nous tous, je suis le seul à avoir été fils unique pendant deux ans.

– En tout cas, j'ai dit, ça n'est pas toi qui vas te taper M. Martel l'année prochaine. De quoi je vais avoir l'air, moi ?

On s'est disputés tout le long du retour.

Il faisait nuit noire quand on est arrivés à la maison. Il était plus de 7 heures, on était trempés comme des soupes. Maman allait nous passer un bon savon, c'était sûr.

En plus, on avait oublié les commissions.

– C'est ta faute ! a dit Jean-A.

– Non, c'est la tienne !

On a commencé à se taper dessus dans l'ascenseur.

Quand la porte s'est ouverte, papa était sur le

palier. Il a mis tout le monde d'accord d'une bonne paire de gifles et on a filé au lit sans dîner.

– Tu dors ? j'ai demandé à Jean-A. quand on a été couchés.

Il n'a pas répondu. Il devait ruminer dans le noir en se gavant de raisins secs qu'il garde en prévision sous son oreiller.

J'ai sorti ma lampe de poche et, sur mon carnet à indices, j'ai écrit :

Règle n° 1 : ne jamais faire de filature avec un assistant qui porte des lunettes comme Jean-A.

Règle n° 2 : ne pas oublier de demander à M. Martel de me prêter les livres d'Alfred Hitchcock.

Le camp scout

Quand les vacances de Pâques sont arrivées, le ventre de maman était devenu de plus en plus rond.

Maman n'est pas très grande, contrairement à papa. Les gens s'étonnent toujours quand ils nous voient tous les cinq avec elle :

– Ils sont à vous, tous ces garçons ? ils disent d'un air apitoyé comme si on était des bêtes curieuses.

– Non, elle répond. C'est une colonie de vacances que j'ai adoptée.

Papa, qui est médecin, dit que, dans son état, il faut qu'elle se repose. Quand on est enceinte, on mange pour deux, on se fatigue aussi pour deux.

J'ai calculé que ça faisait comme si on était quatorze à la maison, ce qui est vraiment beaucoup, même si maman est très organisée.

Alors papa a décidé que, pour les vacances, il nous enverrait, nous les trois grands, au camp scout, à Varangeville.

– Ça vous fera le plus grand bien, il a dit. Le bon air, la campagne, la vie saine et disciplinée de la meute.

Moi, je déteste les louveteaux.

Je veux dire : en vrai. Parce que, dans les histoires des Signes de Piste ou de La Patrouille des Castors, il arrive des aventures sans arrêt, les héros savent faire des nœuds hyper compliqués et allumer un feu de camp avec une seule allumette même quand le bois est mouillé.

Dans la réalité, il faut porter des culottes courtes en plein hiver, un béret sur la tête et un pull marin qui gratte, assister à des messes en plein air et connaître par cœur le livret de chants.

Comme je suis un peu enrobé, les gars de la meute m'appellent Ours Glouton, je ne suis jamais choisi pour les parties de ballon prisonnier mais c'est toujours moi qu'on envoie pour tester la solidité d'un pont de singe ou d'une corde à nœuds.

Jean-A., lui, adore les louveteaux. Comme il est chef de meute, il porte le totem et distribue les corvées. Son surnom, c'est Chacal Aimable, mais on n'a pas intérêt à l'appeler comme ça si on ne veut pas récurer les gamelles de tout le camp.

Quant à Jean-C., c'est la mascotte de la meute parce qu'il est le plus petit. Il passe son temps à pleurnicher pour que la cheftaine le console. Elle l'appelle « mon doudou », lui fait ses nœuds de foulard et l'autorise à garder la lumière dans la tente, la nuit, pour qu'il n'ait pas peur du noir.

Quand on est arrivés à Varangeville, la cheftaine nous a tous fait mettre en rang.

– Je vous présente M. Tournicot, elle a dit. M. Tournicot est agriculteur. Il a la gentillesse de nous prêter son champ pour installer nos tentes. Un ban pour M. Tournicot !

On s'est tous époumonés, sauf moi qui ouvrais et fermais la bouche en silence.

Puis la cheftaine a dit :

– Scouts toujours…

– Prêts ! on a hurlé.

Puis on a tous couru avec nos sacs de tente pour avoir le meilleur emplacement.

Il fallait se dépêcher, parce que le ciel était de plus en plus noir.

– Concours de tente ! a décidé la cheftaine en déclenchant son chronomètre. Le perdant montera la mienne.

Quand elle est passée pour l'inspection, je me battais encore avec les piquets. Les sardines ne voulaient pas s'enfoncer, la toile de toit était à l'envers et menaçait de s'envoler.

– D'accord, elle a dit. Puisque tu le fais exprès, tu seras de corvée de patates ce soir.

Après le dîner, on a chanté autour du feu puis on est allés se coucher. La cheftaine a fait le tour des tentes pour nous dire bonsoir, une lanterne à la main. Quand elle est arrivée dans celle que je partage avec Jean-A., elle a dit :

– Vous fumez un cochon, là-dedans, ou c'est vos Pataugas qui sentent ?

– J'adore Bagheera, a dit Jean-A. d'une voix rêveuse en s'enroulant dans son sac de couchage.

Bagheera, c'est la cheftaine. Elle a dix-huit ans, des couettes et un short trop étroit pour ses cuisses, mais Jean-A. pourrait traverser les chutes du Niagara sur une corde si elle le lui demandait.

– Dormez bien, les louveteaux, elle a dit.

J'ai cherché une position pour la nuit, mais le sol était plus dur qu'une planche à clous, mon duvet sentait le moisi, et Jean-A. n'arrêtait pas de me donner des coups de coude dans les côtes en se retournant.

Puis la pluie s'est mise à tomber. Elle tambourinait sur la toile de plus en plus fort, s'infiltrait par les trous des piquets.

J'ai allumé ma lampe torche, mais Jean-A. dormait comme un sonneur, un sourire d'extase sur les lèvres.

– À mon commandement ! il a balbutié en rêve. Droite, gauche, droite, gauche…

Quand la pluie s'est enfin calmée, ça a été le tour des crapauds. Ils se sont tous mis à coasser en chœur. J'ai essayé de penser à une jungle pleine de bêtes fauves et de boas constrictors pour me donner du courage, mais ça n'était bon que dans mon petit lit douillet, à Cherbourg. Impossible de dormir.

J'ai remonté mon duvet jusqu'aux yeux et là, juste à l'instant où j'allais trouver le sommeil, une tête atroce est apparue par l'ouverture de la tente.

J'ai poussé un hurlement.

– Aah !

– Chut ! ce n'est que moi, Putois Puant… Vous n'avez pas entendu le cri de ralliement ?

Putois Puant, c'est Stéphane Le Bihan. Personne ne veut dormir dans la même tente que lui, même Jean-A. qui est son meilleur copain.

Son visage était déformé par la lampe torche qu'il plaquait sous son menton et j'entendais derrière lui des ricanements et des murmures.

– Rassemblement sous l'arbre creux, il a lancé. Et pas un bruit, hein, ou on va se faire prendre…

J'ai réveillé Jean-A.

– Qu'est-ce qui se passe ? il a fait d'une voix pâteuse en tâtonnant autour de lui pour trouver ses lunettes.

– Je ne sais pas, j'ai dit. Rassemblement.

On a enfilé nos pulls et nos capes de pluie en vitesse, puis on est sortis dans la nuit.

L'herbe était trempée, on n'avait pas fait deux pas hors de la tente qu'on pataugeait pieds nus dans des choses tièdes et gluantes.

– Qu'est-ce que c'est que ça ? a gémi Jean-A. d'une voix blanche.

– Bouses de vaches, j'ai dit avant de déraper et de m'étaler de tout mon long.

Il y en avait partout. De grosses bouses encore fraîches qu'avaient laissées les vaches de M. Tournicot en traversant le campement.

Quand on est arrivés sous l'arbre creux, on était crottés jusqu'aux genoux.

– Ugh ! a dit Putois Puant en nous éblouissant avec sa torche. Bienvenue à vous, visages pâles.

Ils étaient quatre ou cinq, serrés autour d'un feu qui ne voulait pas prendre.

– Qu'est-ce que vous faites là ? a demandé Jean-A. en clignant des yeux.

– Qu'est-ce que tu crois ? a dit l'un des jumeaux Brichet. On fume le calumet de la paix.

Accroupis sous leurs capes, ils faisaient circuler des cigarettes dont le bout rougeoyait dans l'obscurité. Dans l'herbe, il y avait des paquets de gâteaux, des boîtes de sardines à l'huile et des trognons de pommes.

– Vous êtes fous, les gars, a protesté Jean-A. Si Bagheera vous voit, elle va vous tuer !

– Bah, a dit l'autre jumeau Brichet, elle ronfle comme un bûcheron. Tu veux une taf ?

Si papa nous a inscrits aux louveteaux, c'est à cause des jumeaux Brichet. Des gars formidables, capables de tailler un cochonnet parfaitement rond avec un Opinel et de fabriquer une cabane avec trois branches pourries.

Papa rêve d'avoir des fils comme eux : de vrais scouts, courageux et volontaires, les champions du monde de la B.A. qui passent leur jeudi sur le marché à porter le panier des vieilles dames ou à vendre des tickets pour la loterie.

Les jumeaux Brichet sont les fils de son médecin-chef, à l'hôpital. C'est peut-être pour ça que papa les admire autant. Ils ont presque quatorze ans, le crâne rasé et de gros genoux pleins de cicatrices.

– Vous êtes malades ! a dit Jean-A.

– Moi, a dit Stéphane Le Bihan, mon cousin, il a douze ans et il fume sept paquets par jour.

– Et ça, il sait le faire ? a dit l'un des jumeaux Brichet.

Il a avalé son mégot allumé et l'a ressorti sur le bout de sa langue.

– Ça paraît rien, comme ça, il a dit, mais il faut des heures d'entraînement pour y arriver sans se brûler. Vraiment, t'en veux pas une, Jean-A. ?

– Sans façon.

– C'est que t'es pas cap, alors.

– Si, je suis cap.

– Non, t'es pas cap.

Ça aurait pu durer longtemps s'il ne s'était pas mis à tomber un vrai déluge.

On s'est séparés en se disputant et, le lendemain, on a tous pris un savon par Bagheera parce que quelqu'un avait pillé les réserves de l'intendance.

– Puisque c'est comme ça, elle a dit, vous resterez consignés au campement pendant que je vais faire des courses au village.

Elle a pris la 2 CV de M. Tournicot. Ça nous faisait une sorte de quartier libre, alors on est tous descendus à la mare qui est au bout du champ.

C'était une toute petite mare entourée d'un bosquet de roseaux où les vaches venaient boire dans la journée.

– Regardez, a dit l'un des jumeaux Brichet. Un canard ! Ça vous dirait qu'on le mange à la broche ce midi ?

On a tous trouvé l'idée formidable. On a sorti nos Opinel et on a commencé à se fabriquer des arcs avec des roseaux et de la corde de tente.

En quelques minutes, le boqueteau a été saccagé. On s'est tous mis à tirer comme des malades, les flèches volaient dans tous les sens, on n'avait jamais autant rigolé de toute notre vie.

Quand Bagheera est revenue, la mare était presque entièrement recouverte de flèches. Du petit bois de roseaux, il ne restait plus que quelques moignons. Au milieu du tapis de flèches, il y avait le canard qui nageait tranquillement, l'air indifférent comme s'il nous narguait.

Il n'a même pas bougé quand Bagheera s'est mise à hurler. On était des vandales, la pire équipe de brise-tout qu'elle ait jamais connue ! Pire : des assassins !

– S'attaquer à une pauvre bestiole sans défense ! Qu'est-ce qui vous a pris ?

– Demain, a murmuré l'un des jumeaux Brichet, je fabrique un lasso. Cet idiot de canard n'a qu'à bien se tenir !

Ça a été un camp formidable.

On n'a jamais pu prendre le canard, mais le troisième jour, une autre meute de louveteaux s'est installée dans le champ à côté du nôtre.

Ça a tout de suite mis de l'ambiance. On a fabriqué des lance-pierres et on s'est amusés à se canarder avec des prunes sauvages. Ceux de Varangeville ont fini avec des cailloux, alors l'un des jumeaux Brichet s'est expliqué avec leur chef et tout est rentré dans l'ordre.

Le soir, on a fait un grand rassemblement. On a récité des prières et chanté des chants scouts tous ensemble autour d'un feu de joie. Les grands se refilaient des cigarettes en douce, on a lancé des pétards sur les vaches de M. Tournicot et échangé des fanions, puis tout le monde s'est séparé, sauf Bagheera et le chef de la meute de Varangeville qui avaient le jeu du lendemain à préparer.

Quand les lumières ont été éteintes dans leur campement, les Brichet sont venus nous chercher.

– Expédition punitive, ils ont dit. Ces péquenots de Varangeville ne l'emporteront pas au paradis.

On s'est glissés sans bruit jusqu'à leur tente en sautillant entre les bouses. Puis on les a attaqués par surprise : les petits défaisaient leurs piquets, on attendait qu'ils sortent, et on les barbouillait avec du dentifrice.

Jean-A., qui adore la discipline, a menacé d'aller chercher la cheftaine, mais personne ne l'écoutait. On se roulait dans les bouses en se traitant de tous les noms, alors M. Tournicot est sorti en pyjama, un fusil de chasse à la main.

Quand il a tiré en l'air, ça a été la débandade. Les vaches meuglaient et galopaient dans tous les sens, Jean-A. s'est accroché dans les fils barbelés en tentant de s'enfuir, et c'est lui qui a tout pris.

– Les enfants, a dit Bagheera au rassemblement du matin, les scouts du monde sont une seule et grande famille. Pour resserrer les liens avec la meute de Varangeville, nous allons faire ensemble une course d'orientation. L'équipe qui arrivera la première gagnera le trésor.

Elle a distribué les boussoles, les cartes, et formé les binômes. Chacun avait un équipier de l'autre meute pour resserrer les liens. Puis on est partis dans la forêt et la course a commencé.

Au début, ça m'a plu.

Il faut faire un circuit en s'aidant des signes de piste que les moniteurs ont laissés. Deux branches entrecroisées, par exemple, signifient qu'on s'est trompé de chemin, les flèches indiquent les bonnes directions, et ainsi de suite.

René, mon binôme de Varangeville, était un petit rouquin nerveux au visage constellé de taches de rousseur.

C'était énervant, parce que c'était toujours lui qui trouvait en premier les marques sur le sol. À sa façon de renifler, on aurait dit un chien de chasse flairant une piste, mais c'était juste qu'il avait la morve au nez et pas de mouchoir.

– Dépêche, il a dit. C'est bien ma veine de tomber sur un gros !

– Tu es sûr que c'est par là ? j'ai demandé, quand il a voulu qu'on traverse un champ de ronces.

– Laisse faire les pros, il a dit.

Mais à mesure qu'on s'enfonçait dans la forêt, on entendait les cris des autres équipes qui se faisaient de plus en plus lointains.

– Il doit y avoir un os ! a reniflé René quand on s'est retrouvés complètement perdus. Je n'y comprends rien. On a pourtant suivi tous les signes.

– Sûr, j'ai dit. Du travail de pro.

– Je t'apprendrai que je suis le meilleur éclaireur de tout Varangeville, d'abord, a fait René. Si tu te traînais pas comme un mollusque, on aurait déjà gagné.

– Mollusque toi-même, j'ai dit.

Quand on est arrivés au point de rassemblement, on était bons derniers. Les vainqueurs étaient le binôme d'un des jumeaux Brichet. Pour arriver les premiers au trésor, ils s'étaient amusés à changer toutes les directions et se gavaient maintenant avec le paquet de Mashmallows qu'ils avaient gagné.

Comme toutes les équipes s'étaient perdues dans la forêt à cause d'eux, les liens avaient du mal à se resserrer. Pour créer l'ambiance, Bagheera a organisé un concours de tir à la corde qui a fini en bagarre générale.

C'est alors que Jean-A. a dit :

– Et Jean-C. ? Est-ce que quelqu'un l'a vu ?

On a fouillé les taillis alentour, mais pas de Jean-C. Son binôme, un grand crétin de Varangeville, s'est mis à ricaner :

– Qu'est-ce que vous croyez ? Que j'allais m'encombrer d'un mioche qui a encore des couches aux fesses ?

Jean-C. est la mascotte de notre meute, alors l'un des jumeaux Brichet a filé une torgnole au grand crétin et il a fallu les séparer.

La nuit commençait à tomber. On a fait une battue dans les bois à la recherche de Jean-C., mais il restait introuvable.

– Si on revient sans lui, m'a dit Jean-A., papa va nous faire une tête au carré.

– Tant pis, a dit Bagheera. Il faut prévenir la gendarmerie.

On est revenus au campement pour les appeler sur le téléphone de M. Tournicot, et c'est là qu'on l'a trouvé.

Comme il y avait de la lumière dans la tente de Bagheera, on s'est précipités. Il dormait à poings fermés dans le duvet de la cheftaine.

Autour de lui, il y avait des paquets de petits-beurre éventrés et des quignons de pain à demi grignotés.

Mais le plus drôle, c'était le canard.

Il était couché contre Jean-C., endormi lui aussi, la tête sous l'aile. Pas étonnant, après un tel festin : il avait dû becqueter pour trois jours de provisions de goûters !

Au bruit qu'on a fait, il a redressé le cou, nous a regardés de son œil rond puis, avec un petit coin-coin de protestation, s'est rendormi aussi sec.

À partir de ce jour, la meute a eu une deuxième mascotte.

On a installé le canard sur une sorte de trône de branchage, et tous les soirs, à la veillée, on lui apportait des friandises et on défilait devant lui en bramant des chants scouts.

Il a fallu toute une journée pour nettoyer le champ de M. Tournicot. Il a eu l'air soulagé de nous voir partir, et même si j'étais triste de quitter le canard et nos copains de Varangeville, je n'étais pas mécontent que le camp soit fini.

On a fait un ban d'adieu à M. Tournicot et puis on est montés dans le car.

Bagheera a joué de la guitare pendant tout le voyage. Elle avait l'air triste d'avoir quitté Akela, le chef de la meute de Varangeville. C'est normal parce que, comme elle le dit toujours, les scouts du monde sont une grande famille et qu'elle avait dû resserrer les liens avec lui.

Ce qui l'a déridée, c'est quand on a entendu quelque chose bouger dans son étui à guitare.

Un drôle de bruit, comme s'il y avait eu à l'intérieur une poignée de pois sauteurs.

C'était le canard de Jean-C.

L'un des jumeaux Brichet l'avait fourré dedans pendant qu'on disait au revoir à M. Tournicot.

Depuis, notre mascotte vit dans le local de la meute, sur le port.

À chaque rassemblement, on lui noue un petit foulard de louveteau autour du cou. Il dort sur un vieux béret, dans une cage qu'on lui a fabriquée.

Papa et maman ne sont pas au courant, bien sûr. C'est notre ami secret. Il a sa gamelle à lui, son quart en fer-blanc, et si les gars de Varangeville nous attaquaient pour le reprendre, on se battrait pour lui jusqu'à la mort.

Parole de scouts !

La ménagerie

Mon rêve serait d'avoir un chien.

Un labrador, comme Dagobert dans le Club des Cinq. Il serait juste à moi et il montrerait les dents quand Jean-A. lui donnerait des ordres.

En prévision de ce jour-là, j'ai acheté un livre qui s'appelle *Comment s'occuper de votre fidèle compagnon*. On voit toutes les races de chiens, ce qu'il faut leur donner à manger, les colliers anti-puces, les vaccins, et comment leur faire leur toilette.

Je connais le livre par cœur. Dans mon tiroir secret, j'ai même un os en caoutchouc que j'ai acheté pour quand j'aurai un chien. J'ai préparé aussi des listes de noms : Dagobert, Rex, Prince, Rintintin... Tout dépendra à quoi il ressemblera.

J'adore y penser, m'imaginer toutes sortes de jeux qu'on ferait tous les deux. Mais en même temps ça me rend triste parce que papa et maman ne veulent pas qu'on ait un chien.

Ils disent qu'on est bien assez nombreux sans s'encombrer en plus d'un animal. Cinq enfants, bientôt six, en plus des poissons rouges et du cochon d'Inde, ça va comme ça : pas question de transformer la maison en ménagerie.

– C'est important pour notre développement, je dis. S'occuper d'un animal à notre âge donne le sens des responsabilités et permet des transferts propices à notre épanouissement affectif.

C'est ce qu'on dit dans mon livre : le chien sera toujours le meilleur ami des enfants.

– Je connais la musique, dit papa. Au début, tout le monde voudra s'en occuper, et après ce sera à moi de le descendre faire sa promenade. J'ai assez de cinq enfants comme ça.

– Mais non, papa, je te jure : c'est moi qui m'en occuperai !

– D'abord, dit maman, c'est un crime d'avoir un chien en appartement. Le pauvre s'ennuierait toute la journée.

Ça c'est un argument qui me tue. Pourquoi on n'habite pas dans une maison avec un jardin, comme François Archampaut ?

Le chien de François Archampaut s'appelle

Sémiramis de la Trouillère. C'est un drôle de nom pour un chien, mais François Archampaut dit que c'est parce que son chien a un pedigree qui remonte aux rois carolingiens.

C'est un chihuahua microscopique avec des rubans sur la tête et un collier incrusté de diamants. Le chauffeur le promène tous les jours dans la DS 19, assis sur un petit coussin de soie sur le siège du passager.

François Archampaut dit que Sémiramis de la Trouillère ne peut manger que dans des gamelles en or massif parce que, sinon, ça lui donne des allergies terribles.

Jean-A., qui est jaloux, dit que le chien de François Archampaut fait des crottes plus grosses que lui.

– Je t'apprendrai, dit François, que Sémiramis a fait l'école des chiens policiers de Scotland Yard. Il est petit, d'accord, mais il peut maîtriser n'importe quel voleur armé jusqu'aux dents. Il a même failli jouer dans un feuilleton télévisé, mais on n'a trouvé aucun chien assez fort pour le doubler dans les cascades.

Ça en a bouché un coin à Jean-A. parce qu'on n'a pas la télé et qu'il n'a pas pu vérifier.

Un jour, on a trouvé un chien dans l'entrée de l'immeuble.

C'était un minuscule corniaud avec une tache noire sur l'œil. Un chiot à la démarche pataude et maladroite, qui fouillait dans le local des poubelles.

C'est Jean-C. qui a eu l'idée : puisque papa et maman ne voulaient pas qu'on ait un chien, on le garderait en cachette, juste pour nous.

– D'accord, a dit Jean-A., mais il sera à moi.

– Pas question, a dit Jean-C. Je l'ai vu le premier.

– J'ai un livre sur les chiens, j'ai dit. Il n'y a que moi qui peux m'en occuper.

On s'est disputés un moment, puis on a décidé qu'il serait à nous trois. On l'a glissé dans mon cartable et on l'a monté en cachette jusqu'à l'appartement.

Par chance, maman était partie faire des courses avec Jean-D. et Jean-E. On lui a fait une niche dans le dernier tiroir du bureau, un panier avec une vieille corbeille de fruits confits. Comme il ne voulait jamais rester tranquille, on a passé la fin de l'après-midi à quatre pattes à le rattraper sous les lits et à jouer avec lui.

En moins de temps qu'il ne faut pour le dire, il avait déchiqueté :

• un chausson de Jean-C.

• l'album *Spirou* 1967, 674 pages, que j'avais reçu à Noël

• un paquet de Zan tout neuf

- une balle super-rebondissante en caoutchouc
- le rideau de la douche

C'était génial !

L'un après l'autre, on faisait le guet à la porte, et quand maman est arrivée avec les petits, on était tous les trois plongés avec application dans nos devoirs de classe.

– Bonne journée, mes chéris ? elle a demandé en nous embrassant.

– Hon, hon…, on a fait sans même lever la tête de nos cahiers.

– Quel sérieux dans cette maison ! elle a dit, un peu inquiète quand même. Vous êtes sûrs que tout va bien ?

On n'a pas répondu, trop concentrés sur nos devoirs. Jean-A. avait sa flûte à portée de main au cas où notre chiot se serait mis à couiner. Quand on a rouvert le tiroir, il dormait bien sagement en boule dans sa corbeille.

– On l'appellera Grognard, a dit Jean-A. Comme les soldats préférés de Napoléon.

– Non, j'ai dit. On l'appellera Dagobert.

– Non, a dit Jean-C. Milou, comme le chien de Tintin.

Au dîner, on s'est mis des restes de viande dans les poches, mais quand on a voulu les donner au chien, sa corbeille était vide.

– Catastrophe ! a dit Jean-A. Il s'est échappé du tiroir.

On a fouillé partout, sous les lits, dans le placard à chaussures, la penderie. Autant chercher une aiguille dans une meule de foin : d'abord la chambre n'est jamais bien rangée, et il était si petit qu'il aurait pu se cacher n'importe où.

– Qu'est-ce qu'on va faire ? a demandé Jean-C.

– Il n'a pas pu quitter la chambre, a dit Jean-A. Préparons un appât, la faim le fera bien sortir de sa cachette.

C'était un bon plan. J'avais déjà lu ça dans une histoire de l'*Album des Jeunes* qui se passait aux Indes : des chasseurs attachent une chèvre vivante à un piquet pour piéger un tigre mangeur d'hommes.

On a mis les rogatons dans une assiette, bien en vue, et on s'est mis au lit comme si de rien n'était, le drap sur la tête et surveillant l'appât.

– Tu crois que ça va marcher ? j'ai murmuré.

– Silence, a fait Jean-A. Tais-toi et guette.

On est restés comme ça pendant une heure, les yeux écarquillés dans l'obscurité et retenant notre respiration.

– Alors ? a demandé Jean-C. en venant aux nouvelles.

– Toujours rien.

– Et si on mettait des rondelles de saucisson dans

l'assiette ? j'ai proposé. Peut-être qu'il préfère ça à la viande.

– Trop risqué, a dit Jean-A. Si on se fait piquer dans la cuisine, on est cuits. Il faut attendre. Il va bien se décider à sortir.

Une heure plus tard, toujours pas de chiot.

Papa et maman avaient dû aller se coucher, parce qu'on n'entendait plus un bruit dans l'appartement. Les yeux me brûlaient et je commençais à être inquiet.

– Il s'est peut-être glissé dans une de tes chaussures et il s'est asphyxié, a gloussé Jean-A.

– Très drôle, j'ai dit, mais je n'avais pas le cœur à rire.

Soudain, la lumière du plafonnier a jailli.

– Est-ce que vous auriez l'extrême amabilité de m'expliquer ce que fait cette… cette… chose dans mon lit ? a tonné une voix.

On a risqué un œil hors des draps, feignant d'être éblouis comme si on dormait depuis longtemps.

– Qui ça, nous ? a articulé Jean-A. d'une voix pâteuse.

Papa se tenait sur le seuil, en pyjama, une brosse à dents dans la main droite.

Dans l'autre, suspendu par la peau du cou, il y avait Dagobert, enfin Grognard ou Milou, qui mâchonnait tranquillement une chaussette.

– Pas la peine de jouer les innocents, a dit papa d'une voix glacée. Conseil de guerre. Je vous attends tous les deux au salon.

Ça a vraiment bardé.

On a eu beau pleurer, supplier, papa ramenait dès le lendemain notre chiot à la SPA.

– J'en suis aussi triste que vous, il a dit en revenant. Il avait une bouille bien sympathique, ce corniaud.

– Ils vont le tuer, j'ai sangloté. Ils mettent les chiens dans des sacs et ils les noient !

– Mais non, a dit papa. Il restera au chenil jusqu'à ce qu'il trouve un maître. Il sera plus heureux dans une maison où il pourra courir tout son saoul. Ici, en appartement, il serait vite devenu neurasthénique. Est-ce que vous comprenez ?

On a fait oui de la tête, mais j'étais désespéré.

Je n'ai rien pu manger de toute la journée. En classe, je me mettais à pleurer pour un rien. Chaque fois que je passais devant le local à poubelles, je m'attendais à voir surgir en jappant notre petit chiot si pataud, et les larmes me montaient aux yeux.

– Je t'assure qu'il est heureux là-bas, disait maman pour me consoler. Lui aussi a besoin d'amis. Le refuge, c'est comme une grande colonie de vacances pour lui.

Mais je sentais bien à sa voix qu'elle n'en pensait pas un mot.

Un soir, papa est rentré du travail avec un petit paquet qu'il tenait derrière son dos.

– Tenez, il a dit en toussotant. C'est pour vous.

C'était une sorte de boîte à chaussures, avec un couvercle plein de trous retenu par une ficelle.

À l'intérieur, il y avait une adorable souris blanche.

Elle ne devait pas mesurer plus de dix centimètres, avec un museau pointu et une petite queue toute rose. Je l'ai prise dans la main et, aussitôt, elle est allée se blottir dans ma manche, comme si elle venait de m'adopter.

– Pour nous ? j'ai répété sans y croire. Et on peut la garder ?

– Bien sûr, a dit papa. Elle est très propre et elle a tous ses vaccins. Mais attention : ne comptez pas sur moi pour nettoyer sa litière, hein !

On s'est tous jetés dans ses bras.

– Tu me promets que tu ne seras plus triste ? il a dit quand ça a été mon tour.

En quelques minutes, ça a été une joyeuse pagaille : tout le monde voulait toucher la souris et lui trouver un nom.

– Que pensez-vous de Jean-Souris ? a proposé

papa. Le marchand a été formel : c'est un mâle. Ça évitera les… euh… problèmes.

Papa est très fort comme médecin.

Quand, une semaine plus tard, Jean-Souris a eu le ventre qui a commencé à s'arrondir bizarrement, il a dit :

– C'est normal : vous lui donnez trop à manger.

Là où il a été bien étonné, c'est quand il a trouvé un matin sur la litière cinq souriceaux presque transparents.

– Je n'y comprends vraiment rien, a dit papa. Le vendeur m'avait pourtant assuré…

Pour loger tout ce petit monde, on a remonté de la cave une vieille cage à oiseaux. Les barreaux étaient trop écartés, alors on l'a mise dans la baignoire pour éviter que les souriceaux ne s'échappent dans tout l'appartement.

Le problème, c'était à l'heure du bain : il fallait les rattraper un par un avant de pouvoir entrer dans la baignoire. Le temps d'en cueillir un, l'autre avait déjà filé, glissant sur l'émail comme une bille.

Moi, ça ne me gênait pas parce que je déteste me laver.

C'est papa qui faisait une drôle de tête. La salle de bains sentait le pipi de souris, le porte-savon était couvert de crottes minuscules comme des morceaux de Zan. Un jour, il a même retrouvé un souriceau dans la poche de son peignoir

– Pas question de les garder, a dit maman. C'est contraire à toutes les lois de l'hygiène, surtout avec un bébé à naître. Bientôt ils vont se reproduire entre eux. Je ne laisserai pas votre père transformer cette maison en ménagerie !

Papa, tout penaud, a dû discuter ferme avec le vendeur pour qu'il accepte de reprendre les souriceaux.

Ça ne m'a pas fait la même chose que quand il a rapporté mon Dagobert à la SPA. Une souris, ça n'est pas comme un chien. Au début, on s'amuse avec elle, mais une souris ne peut pas suivre à la trace de dangereux criminels ou retrouver des aventuriers enfouis sous une avalanche.

François Archampaut dit qu'il a dressé sa souris blanche à se faufiler dans des bases secrètes pour y poser des explosifs, mais la seule qu'il a eue, Sémiramis de la Trouillère l'a mangée toute crue au petit déjeuner.

Il dit qu'il l'avait prise pour un agent double, mais je ne le crois pas.

Un dimanche, on jouait au foot sur la plage quand un chien s'est jeté comme un fou sur le ballon.

Je l'ai reconnu à la tache autour de l'œil qui lui donnait l'air d'un pirate.

Il avait grandi, portait un collier neuf mais c'était…

– Grognard ! a crié Jean-A.

– Milou ! a crié Jean-C.

– Dagobert ! j'ai murmuré.

C'était bien lui. Mon Dagobert, sauvé du refuge de la SPA !

Il avait planté ses crocs dans le ballon et le secouait dans tous les sens, gambadant joyeusement autour de nous et nous arrosant d'une pluie de sable.

Puis son maître l'a sifflé et il est reparti à fond de train, sautant autour de lui et lui faisant fête comme s'ils avaient toujours été de vieux amis.

Il ne m'a pas reconnu, bien sûr. Un après-midi, qu'est-ce que c'est dans la vie d'un chien ?

Mais moi, je savais que je me souviendrais toute ma vie des quelques heures où j'avais eu un chiot à moi.

La grève

Ça a été un drôle de mois de mai.

– Il faut une chambre pour le bébé, avait dit papa. Pas question de déménager. On l'installera dans la buanderie.

Chaque soir, en rentrant du travail, il enfilait un vieux pantalon et une chemise pleine de peinture, sortait sa boîte à outils et s'enfermait pour bricoler.

Papa est très fort en bricolage.

Il ne supporte pas que maman lui donne des conseils ni qu'on vienne se mettre dans ses pattes sous prétexte de l'aider.

Derrière la porte fermée de la buanderie, on entendait des clang !, des bong !, des zing ! suivis d'énormes jurons.

– Est-ce que tu as besoin d'aide, mon chéri ? risquait maman d'une toute petite voix.

– Surtout pas ! rugissait papa. Ce crétin de menuisier m'a encore vendu une étagère qui ne veut pas tenir !

Quelquefois, sa tête échevelée surgissait par l'entrebâillement de la porte :

– Quel est le sacripant qui a collé un chewing-gum sur ma scie égoïne ? hurlait-il.

– Restez à distance, les enfants, disait maman. Papa a besoin de concentration pour bricoler.

Quand on a découvert la nouvelle chambre du bébé, on n'en revenait pas.

La buanderie ressemblait maintenant à une boîte à bonbons. Sur les murs, il y avait une jolie tapisserie rose avec une frise presque droite, des petits tableaux plantés dans tous les sens. Papa, très fier, faisait la visite :

– Voilà, il a dit. Qu'est-ce que vous en pensez ?

– Renversant, a dit maman. Mais tout ce rose ? Est-ce que ça n'est pas un peu prématuré ?

– Ce sera une fille, a dit papa, catégorique. À la façon dont le bébé est placé, je n'ai aucun doute.

Papa est très fort comme médecin.

– Alors, il a dit, est-ce que ça n'est pas une jolie chambre ?

– Géniale ! on a dit.

– Et j'ai monté moi-même la commode, a dit papa avec modestie.

– Tu me rassures, a dit maman. J'ai cru un instant qu'elle était tombée d'un camion de déménagement... C'est normal qu'on ne puisse pas ouvrir le tiroir ?

– C'est suédois, a dit papa. Des meubles increvables.

– Ah bon, a dit maman. Si c'est suédois...

Pour les finitions, papa a emprunté la perceuse professionnelle de M. Le Bihan.

– Vous ne voulez vraiment pas que je vous donne un coup de main ? a demandé M. Le Bihan qui est toujours prêt à rendre service.

– C'est juste pour poser une applique, a dit papa. Je vous la rapporte dans deux minutes.

Il est monté sur un escabeau, a commencé à percer le mur, mais la mèche s'est bloquée. La perceuse s'est mise à tourner toute seule sans qu'il puisse l'arrêter.

Elle attaquait déjà la tapisserie des voisins quand le courant s'est coupé brusquement.

– C'est la grève, a dit M. Le Bihan que maman avait appelé à la rescousse. Plus d'électricité, plus d'eau, plus rien.

– La grève ? a répété papa en secouant le plâtre qu'il avait dans les cheveux.

– La grève, a dit M. Le Bihan. Vous ne regardez pas la télé ?

Ça a vraiment été un drôle de mois de mai que celui de 1968.

Maman était à quinze jours d'accoucher. Son sac pour la maternité était prêt, le trou largement rebouché dans la chambre du bébé.

Un matin qu'elle était allée à la poste retirer un colis de layette tricotée par Mme Vuillermoz, elle nous a tous trouvés à la maison.

– Et l'école ? elle a fait en n'en croyant pas ses yeux.

– C'est la grève, a dit Jean-A.

– La grève ? elle a répété.

– L'école est fermée, a dit Jean-A. Les cours sont suspendus jusqu'à nouvel ordre.

– Il ne manquait plus que ça, a dit maman.

Nous, on était ravis.

La grève tombait pile : juste pour la période des compositions ! Plus de cours, plus de devoirs, des sortes de grandes vacances avant l'heure.

On passait les journées à faire du patin à roulettes et du vélo sur le parking de l'immeuble. À 5 heures, il fallait remonter les onze étages à pied à cause des coupures d'électricité.

C'était un peu énervant de devoir remonter si tôt, surtout par l'escalier avec les vélos à porter, mais maman était formelle :

– Pas question de vous laisser traîner dehors avec les événements !

En face de l'immeuble, il y avait la Maison des Syndicats. Alors, chaque soir, à 5 heures, on se mettait à la fenêtre pour regarder la manifestation.

Les gens avaient l'air de bien s'amuser eux aussi. Ils portaient des banderoles, se tenaient bras dessus bras dessous en criant « Ce – n'est – qu'un début, continuons le – combat ! Ce – n'est – qu'un début, continuons le – combat ! »

On n'était pas les seuls à regarder le meeting. Autour de la place, il y avait aussi des policiers, avec des casques et des boucliers transparents de cosmonautes. Les manifestants criaient : « CRS, avec nous ! CRS, avec nous ! », mais eux, ça n'avait pas l'air de les amuser du tout.

– Vous avez vu ce qui se passe à Paris ? disait chaque jour M. Le Bihan à papa. Les étudiants ont pris la Sorbonne. Il n'y a plus d'essence. Que fait le Général ?

– Vous savez, moi, la politique..., faisait papa en tirant sur sa pipe avec indifférence.

– Vous ferez comme vous voudrez, disait M. Le Bihan, mais moi, je stocke du sucre à la cave. On ne sait jamais !

Avec la naissance prochaine du bébé, le bricolage de papa et les événements, maman était un peu à cran.

Le jour où on s'est mis à cracher du onzième étage sur les passants au lieu de ranger nos chambres, ça a vraiment bardé.

M. Le Bihan, tout raide, se tenait dans l'entrée, regardant son chapeau d'un air dégoûté comme s'il avait été touché par un bombardement de guano.

– Ça ne va pas se passer comme ça, a dit maman. Dans vos chambres, immédiatement. Plus de patin à roulettes ni de dessert jusqu'à nouvel ordre.

C'est Jean-A. qui a tout organisé.

Moi, je trouvais son plan un peu risqué, mais comme il veut toujours être le chef, pas moyen de discuter.

– Au travail, il a dit. Le premier qui moufte aura affaire à moi.

Quand papa est rentré le soir, on était fin prêts.

– Vas-y en premier, j'ai dit, puisque tu es si fort.

– On y va tous ensemble ou rien, il a dit. C'est une affaire de stratégie.

– Non, moi d'abord, moi d'abord ! a pleurniché Jean-E.

– On va se faire tuer, a dit Jean-C.

– Ça sera ta faute, a dit Jean-D.

– J'en étais sûr, a dit Jean-A. Vous vous dégonflez tous, bande de nuls !

On a commencé à se taper dessus, puis papa a appelé pour qu'on mette le couvert.

C'est ça qui nous a décidés.

– Ils ont vraiment rien compris ! Tant pis pour eux, a dit Jean-A. Les petits devant, les grands derrière.

– Pourquoi nous ? a demandé Jean-D.

– T'occupe, a dit Jean-A. C'est de la politique.

On n'était pas très fiers en entrant au salon, sauf Jean-E. qui ne sait pas lire et qui brandissait sa pancarte.

Papa et maman ont ouvert des yeux ronds.

– Qu'est-ce qui se passe ? ils ont dit.

– C'est une manifestation zénérale, a zozoté Jean-E.. C'est Zean-A. qui l'a dit.

– Une manifestation générale ? a répété papa, interloqué. À quel sujet ?

Jean-A. a montré la pancarte. On l'avait fabriquée avec un vieux carton et des feutres, mais c'est Jean-A. qui avait trouvé le slogan.

Jean-C. l'avait écrit en lettres énormes ·

Y EN A MARRE !

– Tu es sûr que ça prend deux r ? il avait demandé.

– Tais-toi et écris, avait dit Jean-A. Je suis super fort en orthographe d'usage.

– Y en a marre ? a répété papa.

– Oui, a dit Jean-A. C'est la grève. On a tous voté.

J'ai cru que papa allait casser le tuyau de sa pipe. Il s'est mis à tousser tellement fort que maman a dû lui donner des claques dans le dos.

– D'accord, il a dit en reprenant son souffle. C'est la grève. Je suppose que vous avez une plate-forme de revendications à présenter ?

– Moi, j'étais pas d'accord, a dit Jean-D. C'est Jean-A. qui nous a obligés.

– Faisons les choses dans les formes, a dit papa. Qui est votre délégué ?

– C'est moi, a dit Jean-A. en tirant une liste de sa poche, mais pour la première fois il n'avait pas l'air ravi d'être le chef.

Papa a croisé ses mains sur ses genoux.

– Nous t'écoutons, il a dit.

– Je… euh, a bégayé Jean-A., je parle au nom de mes camarades de lutte.

– C'est nous, a dit fièrement Jean-E. au cas où papa n'aurait pas compris.

Jean-A. a commencé à lire sa liste :

– Premièrement, on en a marre de ne pas avoir la télé. Même Stéphane Le Bihan en a une et il est nul en classe…

– Ça sert à quoi d'avoir la télé ? l'a interrompu Jean-C., toujours pratique. De toute façon, y a pas d'électricité puisque c'est la grève.

– Deuxièmement, on veut plus d'argent de poche, a continué Jean-A. On a décidé qu'on discuterait pas d'une augmentation de moins de 10 %… Troisièmement, y en a marre que ce soit toujours nous, les grands, qui soyons de tour de vaisselle…

– On avait dit qu'on ne l'écrirait pas, celle-là ! a protesté Jean-C.

– Forcément, j'ai dit. Tu es un moyen et tu ne fais jamais la vaisselle.

– Pas d'autres doléances ? a demandé papa.

– Euh, non, a fait Jean-A. en relisant rapidement sa liste.

– Si, a dit Jean-D. Nous, on veut aussi des bonbons. Et un nouveau paquet de graines pour le cochon d'Inde.

– C'est pas dans la plate-forme, a dit Jean-A.

– On veut aussi un chien, j'ai essayé.

– Et dormir dans le lit superposé du haut, a dit Jean-D.

– Et des zistoires avant de se coucer ! a zozoté Jean-E.

– D'abord, a dit Jean-A., on continuera le combat jusqu'à la mort.

– Très bien, a dit papa en ôtant ses lunettes. Plus de revendications ?

On s'est tous regardés, mais on n'avait plus d'idées.

– Très bien, a répété papa avec un petit hochement de tête. Je respecte votre mouvement.

– Tu es d'accord pour la télé ? a fait Jean-A. d'une voix incrédule.

– On en reparlera demain, a dit papa. Maintenant, écoutez-moi bien : celui qui ne sera pas couché dans une demi-minute aura droit à la plus mémorable fessée de toute son existence syndicale ! Suis-je tout à fait clair ?

– Chéri..., l'a interrompu maman d'une toute petite voix. Chéri...

– Quoi ? s'est emporté papa. Tu soutiens toi aussi ces dangereux agitateurs ?

– Chéri, a dit maman, soudain très pâle en se tenant le ventre, je crois que les contractions ont commencé

– Les contractions ? a répété papa. Les contractions ?

– Tout va bien, a dit maman. Je crois seulement qu'il serait temps que tu me conduises à la maternité.

– On va avoir une petite sœur ! On va avoir une petite sœur ! s'est mis à crier Jean-E.

– C'est pas dans la liste ! a protesté Jean-A.

– Tu comprends vraiment rien ! j'ai dit. Le bébé va naître !

– Du calme, a dit maman en se levant avec difficulté. Ce n'est peut-être qu'une fausse alerte…

– Mais la télé ? La grève ? a bredouillé Jean-A.

– Jean-A., mon garçon, a dit papa en se battant avec les manches de son imperméable, je te charge de veiller sur tes camarades de lutte pendant que je conduis ta mère à l'hôpital. Je peux te faire confiance, n'est-ce pas ?

– Oui, papa, a fait Jean-A. d'un air vaincu.

On les a accompagnés jusqu'à la porte.

Papa portait le sac pour la maternité. Il avait l'air un peu nerveux et cherchait ses clefs partout. Maman, elle, avait un drôle de sourire sur le visage

Elle avait attendu si longtemps ce moment ! Elle nous a embrassés un à un en nous recommandant d'être sages. Puis on les a vus depuis la fenêtre qui montaient en voiture.

Oubliées la grève, la manif, les revendications...

Maman partait à l'hôpital et quand elle reviendrait, plus rien ne serait comme avant : on serait six, pour toute la vie.

– Les gars, a dit Jean-A. en tirant le rideau, on n'est pas près d'avoir la télé, c'est moi qui vous le dis !

L'omelette au sucre

– Pas question d'avoir ta mère à la maison, avait dit papa. Je me débrouillerai très bien sans elle. Pas vrai, les garçons ?

D'habitude, mamie Jeannette débarque à la maison quand maman va accoucher.

Mamie Jeannette est très gentille, mais elle veut toujours commander. Elle surveille la salle de bains pour vérifier qu'on ne fait pas semblant de prendre une douche en laissant couler l'eau, nous fait porter une cravate pour sortir et nous laver les dents vingt fois par jour.

Papa, au début, est drôle et détendu. Il l'appelle belle-maman, la vouvoie et lui ramène un bouquet quand il revient du travail.

Ça, c'est le premier jour.

Après ça se gâte assez vite. Papa doit mettre des pantoufles pour ne pas salir le lino, fumer sa pipe sur le balcon parce que mamie toussote discrètement derrière sa main dès qu'il fait mine de la prendre. Quand elle s'en va, papa a maigri de trois kilos, il a des cernes jusqu'au milieu des joues et la gifle si facile qu'on n'a pas intérêt à remuer le petit doigt.

– Tu es injuste, dit maman. Ma mère ne sait pas quoi trouver pour te faire plaisir.

– Rien de plus simple, dit papa. Qu'elle reste chez elle, voilà ce qui me ferait le plus plaisir.

Nous, on était contents de rester seuls avec papa. Juste nous six, entre hommes. Papa a été moniteur de colonie de vacances quand il était jeune, alors on peut chahuter avec lui, se bagarrer et dire des gros mots sans maman pour nous rabrouer. Des trucs de garçons, quoi, que les femmes ne peuvent pas comprendre.

Quand papa est rentré de la maternité, cette nuit-là, on l'attendait, Jean-A. et moi.

– Fausse alerte, il a dit en ôtant son imperméable. Mais le médecin a préféré la garder. C'est pour bientôt.

Il s'est jeté dans un fauteuil, l'air épuisé.

– Puisque les petits sont couchés, si on buvait quelque chose de fort, entre grands ? il a dit.

Il restait de la liqueur de framboise que fabrique papy Jean, alors on en a pris dans des verres minuscules pendant qu'il se servait un grand whisky et allumait sa pipe.

– À la vôtre, il a dit. Et au bébé à naître.

C'était la première fois que je buvais de l'alcool. C'était fort et sucré en même temps, un peu écœurant, mais pour rien au monde je ne l'aurais montré.

Le tabac de papa sentait le caramel, on était entre grands, on a parlé du championnat de football, des Vingt-Quatre heures du Mans et des films de cow-boys qu'on irait voir au cinéma Rex.

– Au lit, maintenant, il a dit quand la pendule a sonné minuit. Si votre mère apprenait que je vous ai fait veiller si tard, ça barderait pour mon matricule.

Le lendemain était un dimanche.

Maman, qui est très organisée, avait préparé pour papa une liste des choses à faire.

– Bon, il a dit en chaussant ses lunettes. Procédons par ordre. Tout ça ne m'a pas l'air bien compliqué.

Jean-A. s'est chargé du petit déjeuner. Au début, papa chantonnait, mais quand il a fallu changer les couches de Jean-E., retrouver la chaussure de Jean-D. et éteindre en même temps les flammes qui montaient du grille-pain, il avait les mâchoires serrées et ne chantait plus du tout.

– Revue des troupes, il a dit quand on a été prêts.

On s'est tous mis en rang pour qu'il fasse l'inspection. Jean-A. ne s'était pas lavé les dents, Jean-C. portait sous son blazer sa veste de pyjama et Jean-D. avait à chaque pied une chaussette de couleur différente.

À ce moment, le téléphone a sonné.

– Est-ce que tu t'en sors ? a demandé maman depuis la maternité.

– À merveille, il a dit en giflant Jean-E. qui étalait sur la tapisserie les restes de son yaourt. Ne t'inquiète pas. Il suffit d'un peu d'organisation.

De toute façon, on était en retard pour la messe. On est partis au trot, et c'est en arrivant à l'église qu'il s'est aperçu que j'avais gardé mes chaussons. Jean-D. avait les poches bourrées de petites voitures et Jean-C. les joues gonflées de boules de gomme.

– On s'expliquera à la maison, il a grondé en nous poussant entre les bancs. Vous ne perdez rien pour attendre.

Le sermon de M. le curé a dû lui changer les idées parce que, à la fin de la messe, il a dit :

– Et si on achetait des gâteaux pour faire la fête ?

On a dû faire la queue devant la pâtisserie Boudineau. Papa dit que c'est un drôle de nom pour une pâtisserie, mais qu'elle fait les meilleurs babas au rhum de la ville. Alors, forcément, il y a toujours un monde fou à la sortie de la messe, il faut jouer des coudes pour ne pas perdre son tour et, quand on est arrivés devant la vendeuse, il n'y avait plus de babas.

– Ils sont à vous, tous ces garçons ? a demandé la vendeuse tandis qu'on se bousculait à qui mieux mieux pour coller le nez sur la vitre du présentoir.

– Ce n'est qu'un échantillon, a répondu sèchement papa. Le gros de l'élevage est resté à la maison…

La vendeuse a ouvert des yeux horrifiés.

– Remarquez, a continué papa, d'habitude je les nourris au fourrage et aux grains… Est-ce que vous avez choisi, les enfants ?

– Un paris-brest, a demandé Jean-A. Non, pardon : un baba.

– Il n'y en a plus, a dit la vendeuse.

– Une tartelette aux fraises, a fait Jean-C.

– Non, c'est moi ! a pleurniché Jean-E.

– Arrête de copier ! a dit Jean-C. Tu prends toujours comme moi.

– Ze l'ai vue en premier, a crié Jean-E.

Papa les a mis d'accord d'une calotte, alors Jean-E. s'est mis à pleurer. Les gens nous regardaient, la vendeuse commençait à perdre patience, derrière nous quelqu'un a murmuré : « Bourreau d'enfants », alors papa a commencé à perdre patience lui aussi.

– Décidez-vous, il a dit entre ses dents, ou ça va vraiment barder.

– Tant pis, a dit Jean-C. en ravalant ses larmes, je prendrai un baba.

– Il n'y a plus de baba ! a fait la vendeuse.

– Bon, a dit Jean-C. Une tarte au citron meringuée, alors.

– Je suis désolée, a dit la vendeuse en montrant Jean-D., j'ai servi la dernière à ce jeune homme.

– Ça ne fait rien, a dit Jean-C., philosophe. Mettez-moi un baba, alors.

Le sourire de papa s'est crispé et la beigne est partie toute seule.

– Bourreau d'enfants ! a lancé quelqu'un dans la queue.

Les gens commençaient à pousser, un brouhaha d'exaspération envahissait la pâtisserie.

– Et toi, mon garçon ? a fait la vendeuse en me dévisageant comme si j'avais été un monstre mutant. Qu'est-ce qui te ferait plaisir ?

– Euh…, j'ai dit en louchant sur le présentoir. Une forêt-noire… Non : une tarte aux pommes… Attendez…

C'est toujours comme ça quand je dois choisir

quelque chose de bon : tout me tente, je saute d'un gâteau à l'autre sans pouvoir me décider. N'en prendre qu'un devient un vrai supplice, j'en bredouille de frustration comme si on m'arrachait tous les autres.

– Est-ce que ce gosse n'a pas bientôt fini ? a lancé une grosse dame.

Papa s'est retourné, écarlate :

– Je vous prie de parler à mon fils sur un autre ton !

Le mari de la grosse dame s'en est mêlé.

– Bourreau d'enfants, il a dit.

J'ai cru que papa allait lui écraser le carton à gâteaux sur la figure.

Au lieu de ça, il a poussé une sorte de mugissement, a saisi une petite main qui traînait à sa portée et a fendu la foule vers la sortie en jurant bien qu'il ne mettrait plus jamais les pieds dans un endroit où on ne respectait pas les enfants.

On est rentrés au pas de charge. Papa marchait en tête, le carton à la main, tirant derrière lui un gosse qui pleurnichait, les autres courant derrière pour ne pas être semés.

Jean-A. a bien essayé de le retenir, mais on a tous senti que ce n'était pas le moment de le contrarier.

Ce n'est qu'en montant dans l'ascenseur qu'il s'en est aperçu.

– Si tu n'arrêtes pas de chouiner..., il a rugi en levant la main.

La gifle allait partir quand il est devenu tout pâle. Ses lèvres se sont mises à bouger à toute vitesse comme s'il nous recomptait, puis il a mis la main sur sa bouche en étouffant un juron.

– Bon sang de bois ! il a dit. Qu'est-ce que tu fais là, toi ?

Le marmot qu'il tenait par la main a redoublé de sanglots. Il portait un petit blazer bleu marine, lui aussi, était de la taille de Jean-C., avec de grosses joues couvertes de taches de rousseur, mais la ressemblance s'arrêtait là.

– J'ai voulu te le dire, papa, a commencé Jean-A.

– Il n'est pas à nous, a confirmé Jean-D. Ses oreilles ne sont pas décollées.

– Bon sang de bois, a répété papa d'une voix paniquée. Je me suis trompé d'enfant ! Qu'est-ce qu'on va faire, maintenant ?

– Si on le gardait ? a proposé Jean-C. Il n'a pas de collier.

– C'est pas légal, a dit Jean-D. Il faut attendre un an et un jour avant qu'il soit à nous.

– Et si on le rejetait à la mer, comme les passagers clandestins ? a suggéré Jean-A.

– Non, on le garde, a dit Jean-D.

– Est-ce qu'il pourra dormir dans ma çambre ? a zozoté Jean-E.

– Le problème, a remarqué Jean-C., c'est qu'on n'a que six gâteaux. Moi, je partage pas le mien.

– Silence ! a hurlé papa.

Le passager clandestin s'est mis à pleurer de plus belle, alors papa s'est penché vers lui :

– Calme-toi, mon petit, il a dit en lui ébouriffant les cheveux. Personne ne va te faire de mal. On va vite retrouver tes parents, d'accord ? Dis-moi où tu habites.

L'enfant ne s'est pas calmé du tout. Au contraire, il nous regardait comme s'il venait d'être enlevé par une armée d'extraterrestres, les épaules secouées de hoquets.

– Comment t'appelles-tu ? a demandé papa.

– Il ne peut pas répondre, a dit Jean-A. Ce doit être un demeuré.

– Tu crois ? a demandé Jean-C. Peut-être qu'il est seulement sourd-muet.

Les deux gifles sont parties à la vitesse d'une fusée.

– Tout le monde à la maison, a ordonné papa. On va trouver une solution.

De toute façon, c'était fichu pour les gâteaux : il a fallu les donner au passager clandestin pour qu'il arrête de pleurer. Comme il était incapable de sortir un mot, papa a dit :

– Bon. Procédons par ordre. Vous restez là pendant que je file avec lui à la pâtisserie. Ses parents doivent l'y attendre. J'en ai pour un quart d'heure tout au plus.

Quand il est revenu, l'après-midi finissait.

Il avait l'air exténué, les yeux hors de la tête et une boule toute dure à la place des mâchoires.

– Alors ? on a demandé.

Il s'est jeté dans un fauteuil :

– Pâtisserie fermée..., il a articulé. Ai dû tourner deux heures dans le quartier avant qu'il reconnaisse sa maison... Ai cru que j'allais me faire scalper par ses parents...

– Et alors ? on a demandé.

– Ne s'étaient même pas aperçus de son absence... Famille de neuf enfants... Regardaient tous la télé...

– Z'ai faim, papa, a pleurniché Jean-E. On n'a pas manzé à midi.

– C'est vrai, a fait Jean-D. Pour une fois qu'on avait des gâteaux.

– On devait faire la fête, a renchéri Jean-C. sur un ton de reproche.

– Bon, a dit papa en s'arrachant péniblement de son fauteuil. Buvons la coupe jusqu'à la lie.

– C'est quoi, papa, la coupejuscalalie ? a demandé Jean-D.

– Rien, a répondu papa. Trop long à expliquer. Tout le monde en pyjama et que ça saute. Je ne veux voir personne dans un rayon d'un kilomètre autour de la cuisine ou ça va barder.

On s'est dépêchés d'obéir. Quand papa a cette tête-là, mieux vaut filer doux. On a tous mis nos pyjamas, rangé nos chambres à fond avant d'envoyer Jean-E. en éclaireur.

– Papa fait la cuizine, il a zozoté en revenant.

– Aïe ! a dit Jean-A. Tous aux abris.

Quand papa fait à manger, c'est un peu comme quand il bricole. On entendait des bruits de casseroles entrechoquées, des jurons étouffés, d'autres pas étouffés du tout.

Puis on n'a plus rien entendu.

– Aïe ! a dit Jean-A. C'est pas normal. Allons voir ce qui se passe.

– Toi d'abord, a fait Jean-C.

– Bande de lâches ! a ricané Jean-A. Vous avez la trouille, hein ?

On y est tous allés ensemble. Mieux vaut une bonne fessée sur cinq derrières que sur un seul, a remarqué finement Jean-A. Et pour une fois, j'étais d'accord.

Quand on est entrés dans la salle à manger, des bougies éclairaient la table. Papa avait sorti les belles assiettes du dimanche, les couverts en argent, et les serviettes étaient délicatement roulées dans les verres comme des fleurs de tissu.

– Ouah ! s'est exclamé Jean-C. On se croirait à Noël !

– Tu crois qu'on a des invités ? a demandé Jean-D.

– La ferme, a dit Jean-A. comme papa entrait.

– Si ces messieurs veulent bien prendre place, a dit papa. Ce soir, repas gastronomique, uniquement sur réservation !

Il portait le tablier de cuisine de maman, sur la tête une espèce de toque fabriquée dans du papier journal et, pliée sur l'avant-bras, une serviette blanche comme les serveurs dans les grands restaurants.

Comme personne n'osait bouger, il a dit :

– Eh bien quoi ? C'est la fête, non ? Pour une fois qu'on dîne entre hommes !

Derrière chaque assiette, il y avait un carton au prénom de chacun et une poignée de cacahuètes dans une coupelle.

– Quelques amuse-bouches pour vous faire patienter, messieurs ! a dit papa en disparaissant en cuisine.

Ça a été un super dîner.

Papa est très fort comme cuisinier.

C'est toujours maman qui fait à manger, mais là, elle était dépassée. Écrabouillée. Battue à plate couture. On n'avait jamais fait un festin comme celui-là !

– Pour commencer, il a dit, charcuterie maison et grand cru classé !

Un vrai régal ! Papa est un cordon bleu. En entrée, il nous a servi des rondelles de salami, accompagnées de cornichons et d'un verre de limonade, puis ça a été le tour du plat de résistance :

– Pour suivre, il a annoncé, la maison vous propose son délice de pâtes truffées à la sauce méditerranéenne !

Les raviolis en boîte avaient un peu attaché parce que papa avait voulu les faire cuire avec le fromage râpé, mais ça donnait un délicieux arrière-goût.

– Papa, a dit Jean-C. en grattant le fond de la casserole, je ne savais pas que tu savais cuisiner aussi bien.

Papa a pris l'air modeste.

– Bah, il a dit. Les femmes en font toute une histoire, mais ça n'est pas bien compliqué. Il suffit d'un peu d'organisation... Et maintenant, le dessert spécial !

– Qu'est-ce que c'est ? on a tous demandé.

– Surprise du chef ! il a dit. Une recette de mon invention, enviée par les plus grands chefs !

Il a rapporté avec cérémonie de la cuisine un long plat sur lequel s'étalait quelque chose de mou et de jaune qui ressemblait de loin à une espèce de tapis de bain roulé en boule.

– Vous allez m'en dire des nouvelles ! Le premier qui devine a droit à une deuxième ration de limonade.

On a tous goûté avec précaution. C'était sec sur les bords, un peu visqueux au milieu.

– Une tourte à rien ? a suggéré Jean-A.

Papa a haussé les épaules.

– Un clafoutis aux cerises sans cerises ? a proposé Jean-C.

– En tout cas, c'est super bon, j'ai dit.

– Je sais, a dit Jean-D. : on dirait la fois où Jean-A. a voulu me faire manger un buvard tout gluant.

– Bandes d'ignares, a dit papa un peu vexé en ôtant son tablier. Je comprends mieux votre mère : vous nourrir, c'est vraiment donner des perles à des cochons !

– On donne notre langue au chat, j'ai dit.

– Alors, personne n'a reconnu la surprise du chef ?

On a tous fait non de la tête. Ça me rappelait bien quelque chose, mais le goût était indéfinissable, un curieux mélange de sucré et de salé.

– C'est pourtant simple, a expliqué papa. Des œufs battus, un morceau de beurre qui donne ce bel aspect doré, le tout saupoudré en fin de cuisson d'une poignée de sucre roux.

– Une omelette au sucre ! a lancé Jean-D. en levant le doigt comme à l'école.

– Gagné, a dit papa. Une simple omelette au sucre. Original, n'est-ce pas ?

– J'adore ! j'ai dit en léchant mon assiette. Tu es le meilleur cuisinier que je connaisse.

– Ça, a dit papa, il faut avouer que ça n'est pas mamie Jeannette qui vous ferait une omelette au sucre !

– Un ban pour papa, a lancé Jean-A. en montant sur sa chaise. Hip-Hip Hip…

– Hourra !

On s'est tous mis à crier, à applaudir et à taper sur nos assiettes. On aurait dit un de ces chahuts comme il y en a quelquefois à la cantine. Sauf que papa faisait l'idiot lui aussi, tout ému et dressant les bras comme un vainqueur du Tour de France.

– Merci, les gars… Merci, répétait-il.

Pour un peu, on l'aurait porté en triomphe.

– On s'en souviendra longtemps de ton omelette au sucre, a dit Jean-A. Cette fois, tu entres vraiment dans la légende !

C'est alors que le téléphone a sonné.

Papa s'est absenté un moment pour répondre pendant qu'on commençait à débarrasser.

Quand il est revenu, il était aussi jaune que son omelette. Il souriait bizarrement, comme s'il avait trop bu.

- Votre mère vient d'accoucher, il a dit.

– Ça y est ? on a hurlé tous en chœur. Ça y est ?

– Oui, il a dit. Un beau bébé de 4,2 kilos qui se porte comme un charme.

– C'est beaucoup pour une fille, a remarqué Jean-A.

– Est-ce qu'elle a les ceveux longs et des couettes ? a zozoté Jean-E.

– Des couettes ? a fait papa avec un sourire idiot. Mais qui ça ?

– Hélène, bien sûr ! a dit Jean-C.

– Hélène ? a répété papa. Mais quelle Hélène ?

Devant notre air ahuri, il a réalisé soudain et a éclaté de rire :

– Il n'y a pas d'Hélène, les enfants. Vous avez un nouveau petit frère ! Un magnifique garçon de 4,2 kilos !

Les grandes vacances

– Le bébé ressemble à papy Jean, a dit Jean-D. quand maman est revenue de la maternité. Il est tout chauve, comme lui.

– Les bébés n'ont pas de cheveux, banane, a dit Jean-A. D'abord, Jean-F. aurait dû être une fille. On devrait l'appeler Jean-Faux-Cul.

– Ne critique pas mon frère, a dit Jean-C. en braquant sur lui un désintégrateur à piles.

– C'est aussi le mien, je te ferai remarquer, a dit Jean-A. en lui filant une torgnole.

– J'ai trouvé, j'ai dit en me pinçant le nez pour rire. Qu'est-ce que tu penses de Jean-Ai-Fait dans ma culotte ?

– Si vous continuez, a dit Jean-E., ze vais le dire à maman.

– Pourquoi pas Jean-Fiche pas une ? a rigolé Jean-A.

– Moi, a dit Jean-C., j'aurais préféré une fille.

– Fille ou garçon, qu'est-ce que ça change ? a dit Jean-A. en haussant les épaules. De toute façon, il dort tout le temps.

– J'aurais préféré quand même, a dit Jean-C.

– Tu aurais voulu que maman ne mange que des yaourts pendant neuf mois, comme la mère de Stéphane Le Bihan ? a demandé Jean-A.

– Je ne vois pas le rapport, j'ai dit.

– Stéphane dit que sa mère a trouvé un régime dans le magazine de tricot auquel elle est abonnée, a expliqué Jean-A. Tu ne manges que du yaourt bulgare et tu es sûr d'avoir une fille.

Jean-D. a porté la main à son ventre :

– Zut, il a dit. J'en ai pris un pour le goûter.

– Pas toi, banane ! a dit Jean-A. en levant les yeux au ciel.

Quelques jours après l'arrivée de Jean-F. à la maison, on a célébré son baptême.

Il y avait papy Jean et mamie Jeannette, grand-papa et grand-maman, et aussi M. et Mme Vuillermoz qui étaient venus exprès de Paris. M. Vuillermoz avait offert à Jean-F. son premier fossile, et Mme Vuillermoz une barboteuse tricotée.

Papa avait réservé une salle au restaurant du Théâtre. Comme grand-maman était là, on a tous dû mettre les cravates qu'elle nous avait offertes pour Noël. Ça faisait drôle, parce qu'on portait aussi des petits masques en tissu sur le nez, à cause des microbes.

C'est papa qui avait eu cette idée.

Papa est très fort comme médecin.

On s'était tous enrhumés à la piscine, pas question de refiler nos microbes au héros de la fête.

Mais quand Jean-F. nous a vus déguisés en chirurgiens, il est devenu tout rouge et s'est mis à hurler. Impossible de l'arrêter.

N'empêche, c'était une super bonne idée. Après le déjeuner, pendant que les adultes buvaient tranquillement leur café, on a joué à Zorro avec nos masques sur le nez et des fourchettes comme épées. On se bombardait de dragées en faisant des glissades sur le parquet, puis Jean-C. s'est fendu l'arcade sourcilière sur un coin de la table, et ça a un peu gâché la fête.

Papa a dû l'emmener à l'hôpital, puis papy Jean a dit :

– Qui a posé cette saucisse sur la nappe ?

Comme c'était le fossile qu'avait offert M. Vuillermoz, ça a failli tourner au vinaigre.

Après, papy a dit qu'il l'avait fait exprès pour donner une leçon à ce raseur. Mamie s'est fâchée à son tour. Il faut dire que grand-maman l'avait un peu énervée en entrant dans l'église.

– Comment ça, ma fille n'est pas capable de faire une fille ? elle a dit en parlant de maman. Et votre fils, alors ?

– Ne dites pas de sottises, a répliqué grand-maman. Mon fils est médecin, tout de même.

– Ça va saigner, a dit Jean-A. en se frottant les mains de plaisir.

Mais, comme ils avaient tous beaucoup de route à faire, chacun est remonté en voiture en emportant des dragées dans des petits cornets de carton bleu.

– Dommage, a conclu Jean-A. Pour une fois qu'on pouvait rigoler !

Puis on est partis en vacances.

– Pas question d'aller chez ta mère, a dit papa. Le bébé a besoin de calme et de grand air. M. Le Bihan accepte très gentiment de nous louer sa maison de Carnac. C'est un peu isolé, mais charmant… Et puis, il a ajouté devant notre air catastrophé, ça fera du bien à tout le monde. L'iode, les embruns, le parfum du goémon ! Rien ne vaut l'air vivifiant de la Bretagne.

Comme personne n'avait l'air emballé, papa a invité M. Le Bihan à la maison après dîner. M. Le Bihan, qui est toujours prêt à rendre service, avait apporté son projecteur de diapositives, une rallonge et un écran télescopique.

Quand il a eu tout installé, on s'est assis tous les cinq en rond sur le tapis du salon, et papa a éteint la lumière.

– Et voilà ! a dit M. Le Bihan à la façon d'un magicien quand la première image est apparue sur l'écran.

– Vous avez eu un tremblement de terre à Carnac, récemment ? a demandé maman.

– Celle-ci est à l'envers, a dit M. Le Bihan. Une seconde, je vais réparer ça.

Mais c'est tout ce qu'on a pu voir. À la seconde image, le projecteur a pris feu.

– Ce n'est rien, a dit M. Le Bihan en étouffant les flammes avec un coussin du divan. Juste l'ampoule qui a claqué. Le temps de chercher mes outils, et en avant le spectacle !

– C'est trop gentil à vous, a dit maman en contemplant son coussin tout roussi. Vous vous êtes donné assez de mal comme ça.

– Et puis, a dit papa en raccompagnant M. Le Bihan et tout son matériel, rien ne vaut le charme de la surprise, n'est-ce pas ?

Huit jours avant le départ, maman était d'une humeur de chien.

C'est toujours la même chose avec elle quand

on part en vacances. Comme elle est très organisée, c'est elle qui s'occupe des bagages. Mais avec Jean-F. sur les bras, ceux qui dérangent les piles de repassage pour chercher un tee-shirt propre et les sandales qui ne vont plus à personne, on dirait que maman n'a aucune envie de partir en vacances

– Est-ce que je peux t'aider ? demande papa.

– Surtout pas, elle dit, ou je vais tuer quelqu'un !

Quand papa a vu la rangée de valises bouclées dans l'entrée, le matin du départ, j'ai cru qu'il allait avoir une attaque.

– Jamais je ne pourrai faire rentrer tout ça dans la voiture ! il a dit.

Il n'y avait qu'une valise pour nous cinq, une autre pour papa et maman, mais Jean-F. à lui tout seul en avait trois, les plus grosses, et si bourrées qu'elles fermaient à peine.

– C'est pas juste, a râlé Jean-A. C'est le plus petit et il a le droit d'emporter le plus d'affaires !

– Adressez-vous à votre père, a dit maman. Ce n'est pas moi qui ai choisi la Bretagne.

– Ze peux emmener mon seau et ma pelle ? a demandé Jean-E.

– Et mon pistolet de cow-boy ? a demandé Jean-D.

– Et mon épuisette ? j'ai demandé.

– Plus la place, a dit maman.

– Même pas mon ballon de plage ? a demandé Jean-C.

– Plus la place, a répété maman, inflexible, en s'enfermant dans la salle de bains pour donner son bain à Jean-F.

– On aurait dû le noyer à la naissance, a dit Jean-A. en shootant dans une valise. Au moins, j'aurais pu emporter mon album de timbres.

Au moment de charger la voiture, c'est papa qui n'avait plus du tout l'air d'avoir envie de partir en vacances.

Même avec la 404 neuve, impossible de tout loger. On l'entendait jurer sur le parking, en bas de l'immeuble, mais rien à faire. Il a dû filer au garage pour qu'on lui pose une galerie.

Quand tout a fini par tenir sur le toit, accroché par des sandows, il avait les mains en sang et sa mine des mauvais jours.

– Qu'est-ce que c'est que ça ? il a rugi en montrant les derniers paquets qui s'entassaient dans l'entrée.

– Des bricoles, a dit maman. Le chauffe-biberon de Jean-F., son lit pliant, sa chaise haute, le stérilisateur, le lait en poudre…

Quand on a enfin démarré, les mouches volaient bas dans la voiture. Papa était remonté deux fois vérifier s'il avait bien fermé le gaz, tout le monde se disputait pour pouvoir monter devant, alors papa a allongé une série de torgnoles à l'aveugle qui a mis tout le monde d'accord, et on a quitté Cherbourg.

J'adore les départs en vacances.

La 404 sentait bon le neuf, la prochaine rentrée des classes semblait à des années-lumière, j'avais l'impression qu'on partait à l'aventure tous ensemble vers des terres inconnues.

D'habitude, on va à la campagne chez mamie Jeannette, mais là, c'était différent : le nom de Carnac ressemble à celui de l'île de Claude, dans le Club des Cinq. J'avais glissé en douce ma boussole et mon manuel des Castors Juniors dans la valise, mon carnet de détective, et je répétais ce nom dans ma tête : Carnac ! Carnac ! comme s'il avait été magique.

On n'avait pas fait vingt kilomètres que la pluie a commencé à tomber.

Papa a dû s'arrêter sur une aire de stationnement pour couvrir les bagages avec une bâche. Comme la voiture était en rodage, les camions nous dépassaient en klaxonnant, et papa déteste être doublé.

– Forcément, il a dit. On est beaucoup trop chargés. La prochaine fois, on partira avec un maillot de bain et un tee-shirt de rechange par personne.

Moi, j'aurais préféré qu'il achète une DS 19, comme le père de François Archampaut. François Archampaut dit que son père a fait les Vingt-Quatre heures du Mans avec et que c'est le bolide le plus rapide du monde.

Le problème avec la 404, c'est la place. Jean-E. était assis sur la banquette avant, entre papa et maman, mais nous, on était quatre à l'arrière, avec Jean-F. qui dormait dans le hamac suspendu entre les portières. Le hamac se balançait, les couches de Jean-F. étaient pleines, juste sous notre nez, alors ça n'a pas traîné. Papa venait juste de doubler son premier camion quand Jean-C. a dit :

– Maman, j'ai mal au cœur... Je crois que je vais vomir.

On a essayé d'ouvrir la fenêtre pour qu'il puisse respirer, mais avec la pluie qui tombait, l'eau ruisselait à l'intérieur.

Papa s'est rangé en catastrophe sur le bas-côté, mais trop tard. Jean-C. avait déjà rendu son bol de porridge sur le dossier de la banquette avant.

Il a fallu tous descendre sous la pluie pendant que maman nettoyait, la moyenne de papa était fichue.

– Qu'est-ce que j'ai fait au Bon Dieu ? il a gémi. Une 404 toute neuve !

– Forcément, a remarqué Jean-D. en contemplant les dégâts, elle est beaucoup moins neuve maintenant.

On a refait quelques kilomètres en se bouchant le nez, puis Jean-A. est devenu verdâtre à son tour.

Le mal au cœur en voiture, c'est un peu comme les collections de porte-clefs ou de boîtes de camembert : il suffit qu'un de nous cinq s'y mette pour que ça donne une idée au suivant.

Maman a eu beau distribuer des bonbons à la menthe, on y est tous passés l'un après l'autre, sauf Jean-F. qui dormait toujours et faisait de petites bulles dans son sommeil.

– C'est sa faute aussi, a dit Jean-A. aussi pâle qu'une endive. Si on ne le change pas tout de suite, je ne réponds plus de rien.

– Pas question de s'arrêter, a dit papa. Et ma moyenne, alors ?

Maman, pour détendre l'atmosphère, nous a tous fait chanter *Sur la route de Louviers, Pom pom pom...*, puis on a joué au jeu des plaques minéralogiques : chacun doit deviner le numéro du département de la prochaine voiture qui double.

Jean-A. ne pouvait pas tricher, alors il s'est endormi en prenant toute la place.

Bientôt, Jean-C. l'a imité, puis Jean-D.

– C'est encore loin, papa ? j'ai demandé.

– À ce train-là, il a dit, on a peut-être une chance d'arriver à temps pour les vacances de l'année prochaine.

J'ai dû fermer les yeux un instant. Les pneus chuintaient sur la route détrempée, les essuie-glaces grinçaient, j'entendais la voix de papa et maman qui bavardaient comme s'ils avaient été très très loin…

Quand je me suis réveillé, il faisait nuit.

Sur la banquette avant, maman se débattait avec une carte routière sous la veilleuse du plafond.

– Elle est peut-être précise, elle disait à papa, mais je te répète que c'est une carte du Portugal.

– Est-ce qu'on est perdus, maman ? a demandé Jean-C.

– Les enfants, a dit papa, ce n'est vraiment pas le moment !

– On n'est pas perdus, a ricané maman. Votre père est très fort : il essaye seulement un raccourci.

– D'accord, a dit papa penaud. Je me suis trompé. Mais qui a eu l'idée de tourner à droite au carrefour ? Il faut suivre la côte : M. Le Bihan m'a affirmé que la maison avait vue sur la mer.

– C'est bien ce que je disais, a remarqué Jean-C. On est vraiment perdus.

Quand on a enfin trouvé la maison de M. Le Bihan, il pleuvait à verse.

– C'est là, a dit papa, au bout d'un petit chemin entouré de murets. Est-ce que vous sentez ce bon air marin ?

Il a risqué le nez par la portière, humant à pleins poumons la nuit parfaitement noire avant de se replier précipitamment à l'intérieur.

– Curieuse odeur, a grimacé maman en reniflant à son tour. Est-ce que l'un d'entre vous aurait par hasard un chat crevé dans sa poche ?

– Ça vient de dehors, a dit Jean-A. Pouah !

– C'est seulement l'air iodé, a dit papa avec un petit rire embarrassé. Un peu violent au début, mais tonique !

C'est en courant sous la pluie vers la maison qu'on a eu la solution. Tout autour du jardin de M. Le Bihan s'étalaient à perte de vue des champs pommelés et odorants découpés par de petits murs…

Une plantation de choux-fleurs. Des hectares et des hectares de choux-fleurs sur lesquels la lune se reflétait !

– Une charmante maison avec vue sur la mer, hein ? a répété maman d'une voix incrédule en mettant son foulard sur son nez.

– Allons, allons, a dit papa en se battant avec la serrure de la porte d'entrée. Pas de défaitisme. Quand le vent souffle de l'est, je suis sûr que c'est très supportable. Et puis, c'est la Bretagne, non ? Autant nous immerger tout de suite dans les spécialités locales.

Ça a été une sacrée installation.

Pendant que papa cherchait le compteur pour rétablir le courant, Jean-C. et Jean-D. se poursuivaient dans le noir en hululant comme des fantômes.

Ça a fait peur à Jean-E. qui est tombé dans l'escalier. Alors Jean-F. s'est mis à hurler, impossible de l'arrêter.

– Je vais lui préparer son biberon, a dit maman en tâtonnant dans la cuisine.

Quand elle a trouvé les boutons de la cuisinière, le gaz s'est mis à siffler. Les allumettes étaient humides, maman a dû en craquer plusieurs et, quand la dernière a pris, il y a eu une flamme bleue, un grand boum ! et tout s'est éteint d'un seul coup.

Papa a surgi comme un fou de la cave, des toiles d'araignées plein les cheveux. Par chance, la bonbonne de gaz devait être presque vide, maman n'avait rien, mais plus moyen de faire chauffer quoi que ce soit.

– Les plombs ont dû sauter avec l'orage, a dit papa. Il faudra se passer d'électricité pour ce soir.

– Plus de gaz, a récapitulé maman, plus d'électricité, du chou-fleur à perte de vue, une bonbonne qui me saute au visage... J'aurais dû faire avaler à M. Le Bihan son appareil à diapositives.

Jean-F. a bu son biberon froid. Il restait des sandwiches du voyage, quelques chips écrasées dans leur sachet, alors on a pique-niqué à la bougie dans le salon, entourés de casseroles et de récipients parce que le toit fuyait.

Les gouttes tintaient avec des petits pling ! des chtong ! des floc !, alors Jean-A. a dit que ça ressemblait à un concert de pots de chambre mais ça n'a pas fait rire maman.

Puis Jean-C., qui cherchait la salle de bains, est revenu en criant :

– J'ai vu la mer ! J'ai vu la mer !

– J'en étais sûr, a triomphé papa. On peut faire confiance à M. Le Bihan.

– En montant sur la baignoire, a dit Jean-C. On voit la mer par le vasistas !

– Je pense qu'il est temps d'aller se coucher, a dit papa en toussotant. Demain sera un autre jour. Tu ne crois pas, ma chérie ?

Maman n'a pas répondu.

Elle a pris Jean-F., une bougie, et est montée sans un mot dans sa chambre.

– Ça ira mieux demain, a répété papa. Votre mère déteste le camping, mais c'est qu'elle n'a jamais été Louveteau. Dès qu'on aura de l'eau chaude, tout sera oublié, vous verrez.

À part Jean-F., on dormait tous sous la soupente, dans une espèce de grenier transformé en dortoir.

Papa nous a aidés à faire les lits avec de vieilles couvertures qui sentaient le moisi.

– Compte tenu des circonstances, il a dit, je vous dispense de vous laver les dents. Bonne nuit, maintenant, les garçons… J'emporte la bougie. Il ne manquerait plus que l'un d'entre vous mette le feu à la maison de M. Le Bihan…

Il avait l'air un peu déçu quand même, alors on l'a tous embrassé en disant que c'était une super maison de vacances, bien mieux que chez mamie Jeannette, et que, de toute façon, avec l'odeur de moisi, on ne sentait presque plus le chou-fleur.

– Bravo, les gars, il a dit. Je savais que je pouvais compter sur vous.

– Bonne nuit, papa ! on a crié.

– Bonne nuit, mes fils.

Mais quand le noir est tombé sur le dortoir, on ne rigolait plus du tout. Le vent geignait par les trous du toit, les meubles craquaient tout seuls, on aurait dit que quelqu'un marchait au rez-de-chaussée avec une jambe de bois.

Enfoui tout au fond des draps, j'ai sorti avec précaution la lampe torche que j'avais emportée en cachette.

Jean-A., qui ne lit pas le Club des Cinq, devait claquer des dents dans le noir, j'ai pensé… Ça lui ferait les pieds. Moi, je ne me déplace jamais sans mon matériel d'aventurier.

J'ai allumé avec précaution, mais les couvertures étaient bien épaisses, aucun risque d'être découvert.

– Jean-D., tu dors ? a fait la voix de Jean-C.

– Non. Et toi ?

– Bien sûr que non, imbécile, puisque je te parle.

– Et toi, Zean-A., tu dors ? a murmuré la petite voix de Jean-E. depuis le lit du fond.

– Non. Et toi, Jean-B., tu dors ?

Je n'ai pas répondu.

– Jean-B., tu dors ? a insisté Jean-A.

J'ai sorti la tête en râlant de sous ma couverture.

– Comment veux-tu que je dorme avec le boucan que vous… ?

La surprise a ravalé les derniers mots dans ma gorge.

Quatre têtes hirsutes avaient jailli des couvertures en même temps que moi et, dans chaque lit, il y avait une petite loupiote qui luisait sous les draps !

– Qu'est-ce que tu crois, banane ? a ricané Jean-A. Que tu es le seul à avoir des idées géniales ?

Maintenant que le pot aux roses était découvert, chacun a sorti sa torche et on s'est amusés à s'éblouir en bondissant sur les matelas.

– J'ai une super idée, a dit ensuite Jean-A. en sautant à bas de son lit. On va faire un igloo.

Il a rapproché trois chaises, a défait un drap de

lit qu'il a jeté sur les dossiers et on s'est tous glissés dessous avec nos lampes torches.

– Pas mal, hein ? il a dit.

On a tous acquiescé en chœur.

– On serait des explorateurs perdus dans le blizzard, a proposé Jean-C.

– Oui, a dit Jean-D. en frissonnant. Des explorateurs à traîneaux.

– Dommage qu'on n'ait pas de chien, j'ai soupiré.

– De toute façon, a dit Jean-C., on va crever de faim si personne ne nous retrouve.

– J'ai des réserves, a fait Jean-D. en fouillant dans la poche de son pyjama. Est-ce qu'on peut survivre longtemps dans le blizzard juste avec du Zan ?

– Moi, j'ai des raisins secs, a dit Jean-A. en sortant ses propres réserves secrètes. C'est plein de protéines. On peut tenir un mois.

– C'est quoi, les protéines ? a demandé Jean-E.

– T'occupe, a fait Jean-A. Aboule seulement tes provisions.

– Zuste un biscuit de Zean-F., a fait Jean-E. en sortant un truc tout mâchonné de sa poche.

– Belle mentalité ! a dit Jean-C. Tu fauches la nourriture des bébés, maintenant ?

On a étalé nos trésors au milieu : il y avait un sachet de réglisses, une Vache-Qui-Rit écrasée, une demi-plaque de chocolat au lait, du Zan, des raisins secs, trois morceaux de sucre, quelques tranches de pain écrasées et deux boules de coco... De quoi faire un vrai festin.

– Il faudra les économiser, a dit Jean-A. C'est nos rations de survie.

– Dommage que Jean-F. ne soit pas là, a remarqué Jean-D. On serait tous les six.

– C'est vrai, a approuvé Jean-A. Six frangins, ça fait un chiffre rond.

– De toute façon, a dit Jean-C. en croquant un carré de chocolat, les filles ne savent que pleurnicher. Autant avoir un frère.

– Tu imagines une fille dans un igloo de survivants perdus en plein blizzard ? a ricané Jean-A.

– Les filles sont beaucoup moins résistantes, j'ai dit. Elle mourrait la première.

– Moi, a dit Jean-C., je voudrais pas d'une sœur dans mon igloo. On ne pourrait jamais avoir la salle de bains.

– Et puis, a dit Jean-A., quand Jean-F. sera grand, on pourra faire une équipe de basket.

– À onze ? a dit Jean-D. soudain paniqué.

– Mais non, banane, a dit Jean-A. Onze, c'est au football.

– Ah bon, a dit Jean-D. Tu m'as fait peur.

– Est-ce qu'on peut monter à six sur un traîneau ? a demandé Jean-C.

– De toute manière, j'ai dit, quand on sera grands, on ne se déplacera plus qu'en vaisseau spatial.

– Je vous préviens, c'est moi qui piloterai, a dit Jean-A.

– Et nous ? a demandé Jean-E.

– Vous serez mon équipage. On aura tous des désintégrateurs à neutrons au cas où on voudrait nous attaquer.

– Moi, j'ai dit en piochant une poignée de raisins secs tout collés, ce qui m'inquiète, c'est la nourriture : il n'y aura plus que des pilules hyper concentrées.

– C'est pas sûr, a dit Jean-C.

– Ils le disent dans *Tout l'Univers*, a confirmé Jean-A. Même les spaghettis bolonaise seront en pilules. C'est plus facile à manger quand on porte un casque de cosmonaute.

– Ce que je me demande, a dit Jean-D., c'est comment les chiens feront pour faire pipi en apesanteur.

On s'est tous mis à rigoler, alors Jean-A. a dit :

– François Archampaut pourra toujours s'accrocher pour nous doubler avec sa DS pourrie !

– À six, on sera super chargés, a dit Jean-C. Même pour passer le mur du son.

– De toute façon, a dit Jean-A., c'est encore loin, l'an 2000. On a le temps de s'entraîner.

On a tous hoché la tête en silence.

– Quand on sera grands…, a commencé Jean-D. En l'an 2000…

– Ben quoi ? Accouche, a dit Jean-A.

– Est-ce que tu crois qu'il y aura aussi des pilules hyper concentrées pour l'omelette au sucre ?

– Bien sûr, j'ai dit. Qu'est-ce que tu crois ?

– Et elle aura exactement le même goût ?

– Le même, a dit Jean-A.

– Ah bon ! a dit Jean-D. avec un soupir de soulagement.

Le vent soufflait, on était à l'abri dans notre igloo avec nos provisions secrètes, nos lampes électriques et le bruit de la pluie sur le toit.

– J'adore les grandes vacances, a dit Jean-D.

– Tu parles ! a dit Jean-A.

Et on s'est tous mis à rigoler comme des bossus.

Table des matières

Jean-Philippe Arrou-Vignod

L'auteur

Jean-Philippe Arrou-Vignod est né à Bordeaux en 1958 Il a vécu successivement à Cherbourg, Toulon et Antibes, avant de se fixer en région parisienne. Après des études à l'École normale supérieure et une agrégation de lettres, il a été professeur de français en collège. Boulimique de lecture durant toute son enfance, il s'essaie très tôt à l'écriture et publie son premier roman en 1984 chez Gallimard. Lorsqu'il écrit pour les enfants, il se fie à ses souvenirs, avec le souci constant d'offrir à ses lecteurs des livres qu'il aurait aimé lire à leur âge. En 2006, il crée avec Olivier Tallec les personnages de la série Rita et Machin, aux éditions Gallimard Jeunesse.
Dans la collection Folio Junior, il a publié, entre autres, *Le Camembert volant* et *La Soupe de poissons rouges* ainsi que toute la série « Enquête au collège ».

Dominique Corbasson

L'illustratrice

Dominique Corbasson a fait des études de dessin aux Arts appliqués. Elle est devenue styliste puis, de la mode, elle est passée à l'illustration. Depuis plusieurs années, elle dessine pour la presse féminine, la publicité, les livres d'enfants… en France et au Japon. Dominique Corbasson est mère de trois enfants.

Retrouvez les aventures
des six « Jean-quelque chose »

dans la collection

Le camembert volant

n° 1268

Quand on est six frères et qu'on s'appelle Jean-A., Jean-B., Jean-C., Jean-D., Jean-E. et Jean-F., impossible de s'ennuyer un seul instant. Au menu de cet été : un déménagement, des vacances chez papy Jean, un poisson nommé Suppositoire, une ribambelle de cousins aux oreilles décollées… sans oublier, bien sûr, un mystérieux camembert volant et des parents pas trop coulants. Déci dément, ça déménage chez les Jean !

La soupe de poissons rouges

n° 1438

Les Jean et leurs parents ont déménagé. Mais entre un coq de combat, une voisine sourde comme un pot, une carabine à patate, les premières boums et les bagarres avec la bande des Castors, leur nouvelle vie à Toulon est loin d'être de tout repos… Heureusement que papa sait tout faire de ses dix doigts et que maman est très organisée !

Mise en pages : Chita Lévy

Loi n° 49-956 du 16 juillet 1949
sur les publications destinées à la jeunesse
ISBN : 978-2-07-061941-2
Numéro d'édition : 178031
Numéro d'impression : 100429
Premier dépôt légal dans la même collection : octobre 1999
Dépôt légal : juin 2010

Imprimé en France sur les presses de CPI Firmin Didot